심폐소생 비트

심폐소생 비트
삶의 비트가 멈춘 그대들에게

초판 발행일 2023년 11월 10일
지은이 이용준
펴낸이 유현조
편집장 강주한
디자인 연못
인쇄·제본 영신사
종이 한서지업사

펴낸 곳 소나무
등록 1987년 12월 12일 제2013-000063호
주소 경기도 고양시 일산서구 중앙로 1542 신동아노블타워 653호
전화 070-4833-5784
팩스 070-4833-5004
전자우편 sonamoopub@empas.com
전자집 post.naver.com/sonamoopub1

ISBN 978-89-7139-109-9 03810

심폐소생 비트

삶의 비트가 멈춘 그대들에게

이용준 지음

소나무

중년에 다시 잡은 기타

어린 시절 나의 음악 세계는 클래식이라는 작은 세계에 갇혀 있었다. 클래식을 즐겨 들으시던 아버지의 영향 때문이었다. 클래식 음악을 사랑하시던 아버지는 예술고등학교 선생님으로 교편을 잡으셨고, 퇴근 후 돌아오시면 항상 LP와 CD로 가득 찬 선반 앞에 앉아 스피커에서 흘러나오는 클래식 음악에 귀를 기울이셨다. 거실에는 늘 모차르트 피아노협주곡이나 멘델스존의 교향곡 같은 음악이 흘렀다.

내가 초등학교에 입학하자마자 아버지는 바이올린 교습을 시켜 주셨고, 예술의전당에서 열리는 클래식 공연에 나를 데려가셨다. 아들내미를 들깨 볶듯 달달 다그친 베토벤의 아빠 정도까지야 아니었지만, 우리 아빠도 나름 아들의 예술적 재능을 감지하여 고소한 음악의 향기가 들깨 향처럼 피어나길 기대하셨을지도 모르겠다. 덕분에 나는 초등부 콩쿠르 입상 경력까지 갖게 되었다.

하지만 그때는 몰랐다. 록 음악이라는 또 다른 우주가 존재한다는 것을. 모차르트는 우주의 전부가 아니었음을. 베토벤의 장발보다 멋진 장발의 사내들이 세상천지에 즐비하게 널려 있음을. 내가 들고 다녀야 할 것은 '바/이/올/린'이 아니라 '전/자/기/타' 아니겠는가. 같은 네 글자지만 혁명적 전환이었다. 아, 바이올린은 개나 줘라.

중학교로 진학한 나는 친구가 건네준 믹스테이프 하나를 들었다. 뭐냐 이건. 가히 충격적이었다. 파워풀한 비트와 강력한 기타 사운드, 시끄러운 소리의 질주 속에 느껴지는 알 수 없는 쾌감. 바로 헤비메탈 음악이었다. 마치 전혀 다른 차원의 세계에 들어가 버린 느낌이었다. 사춘기 소년에게 불어닥친 질풍노도는 사랑도 우정도 아닌 헤비메탈의 거센 파도였다.

나는 잽싸게 진로를 정했다. '세계적인 록스타가 되리라!' 전용기를 타고 세계 30개국 100개 도시를 투어하며, 공연에는 수만 명의 관객이 몰려들고, 한 번 공연을 위해 수백 명의 스태프와 전세버스 10대 분량이 장비가 동원되는 인기 록밴드의 기타리스트 말이다. 이것이 내가 키워 온 유년 시절의 장대한 꿈이었다.

나는 그 길로 집에 돌아가 돈을 모으기 시작했다.

기타를 사기 위해서였다. 당시 중학생 신분으로 얻을 수 있는 일자리는 그리 많지 않았다. 동네 미용실 홍보용 전단지를 뿌리거나 부동산 명함을 돌리는 일을 했다. 그리고 6개월 후 첫 기타를 장만했다. 몇 년의 시간이 흘러, 나는 실제로 록밴드에서 기타를 치게 됐다. 록스타의 꿈을 안은 채로 말이다.

하지만 현실을 받아들이는 데는 오랜 시간이 걸리지 않았다. 프로 뮤지션으로 밥 먹고 산다는 게 쉽지 않다는 걸 깨닫게 된 것이다. 프로를 지향하는 팀에서 뮤지션들의 연습량과 열정의 크기는 내가 상상한 것 이상이었다. 각자 벌어 온 돈으로 연습실 이용비를 충당하고, 삶의 모든 시간을 갈아 넣어 연습하고 곡을 만들었다. 밴드는 오디션을 보러 이 클럽 저 클럽을 전전하고, 데모 테이프를 만들고, 무대에 오르고, 밴드를 알리려고 힘썼다.

하지만 이런 생활을 오래 버티기 힘들었다. 몸이 지치자 열정이 시들해졌다. 설상가상으로 군대에서 다친 귀의 상태가 악화되어 작은 소음에 통증을 느꼈고 잘 들리지 않게 됐다. 결국 이런저런 이유와 핑계로 밴드 생활을 청산했다. 그리고 곧 학교에 돌아와 공부를 시작했다. 지금 생각해 보면 프로 기타리스트로 삶을 살아갈 만한 용기와 열정이 부족했던 것 같다.

학교를 졸업 후 평범한 회사에 들어가 직장 생활을 시작했다. 결혼을 하고 아이를 낳고, 아주 평범한 보통 직장인의 삶을 살아갔다. 더 이상 록 음악은 즐겨 듣지 않았다. 무기력하게 누워서 프렌치프라이를 씹으며 최신 아이돌 음악이나 걸그룹 음악을 듣는, 한마디로 록 음악의 저항 정신을 깡그리 잃어버린 흔한 반도의 아재가 되어 버린 것이다.

그러던 어느 날, 한 신문사의 인터뷰 요청이 들어왔다. 당시 나는 스타트업 기업이 록밴드에서 배울 수 있는 경영 전략에 관한 책을 한 권 썼는데, 책 소개를 해달라는 것이었다. 인터뷰에서 스타트업 기업의 현실과 생존 전략에 관한 여러 이야기를 했다. 그리고 마지막으로 이런 질문을 받았다. "작가님의 향후 계획은 어떻게 되시나요?" 그때 내가 무슨 생각을 하고 있었는지 모르겠는데, 순간적으로 이런 말이 튀어나왔다. "앨범을 내고 음악 활동을 하려고 합니다."

그 인터뷰 이후 1년이라는 시간이 흘러 첫 데뷔 앨범을 발매하고 본격적인 뮤지션으로 삶을 살기 시작했다. 겨울날 마른 고목과 같았던 내 삶은 다시 꿈과 희망으로 꽃피우게 됐다. 거친 계절의 모략 속에 모진 풍랑을 버텨내고, 강한 뙤약볕의 갈증을 이겨내고 마침내 피어난 들꽃처럼 내 삶에도 그윽하고 아름다운 향기가 찾아온 것이다. 삶의 자락 끝에서 조급함과 불안에 싸여 있던 내 삶은 언제 그랬냐는 듯이, 원래 삶은 이렇게 달콤하고 다정한 것이라고 속삭이는 듯했다.

사실 이건 거짓말이다. 음악을 시작하고, 곡을 만들고, 10장이 넘는 앨범을 발매했지만, 내 삶은 이전과 크게 달라지지 않았다. 각박한 직장에서의 하루하루를 버티느라 허덕이고 있으며, 육아와 고금리의 대출 이자와 크고 작은 삶의 여러 문제들로 여전히 불투명한 인생을 살고 있다.

심지어 음악을 시작했음에도 음악으로 인해 더 많은 고민을 떠안게 됐다. 유명하지 않으니 내 음악을 알리는 것이 어렵고, 알려지지 않으니 대중의 평가라는 것도 받기 어려웠다. '당신이 유명하지 않은데 왜 당신의 음악을 들어야 하는가?' 하는 질문과 '내 음악을 안 들어주면 난 어떻게 음악으로 유명해지나?'라는 질문 사이의 딜레마에 빠져 '애초에 음악으로 뭔가 잘해 보려는 게 문제인가?' 하는 근본적인 문제로 귀착되어 버리는 것이다.

하지만 오늘도 나는 퇴근 후 기타를 손에 잡고 작곡에 몰두한다. 더 이상 후회 없는 삶을 살기 위해서. 꿈을 잃어버린 우리의 삶은 마치 사이는 좋아도 열정이 식어 버린 연인들 같다. 편안함과 익숙함에 물들어 가슴속에 뜨거웠던 무엇인가를 놓쳐 버린 것이다. 살아오는 과정 어디선가 그것이 사라져 버린 것이다. 생업에 시달리며 치열하게 달려오다가, 또는 고단한 환경에 오랫동안 방치되어 잃어버렸을 것이다. 나이를 먹어감에 따라 더 이상 내 것이 아니게 되어 버린 것들을 바라보며, 열정도 같이 땅에 묻어 버린 것이다. 이렇게 우리는 더 이상 꿈을 꾸지 않게 됐다.

아이러니하게도 릴케는 어려운 현실을 이길 수 있는 유일한 것은 꿈이라고 말한 바 있다. 현실의 장벽에 부딪혀 꿈과 열정을 모두 잃어버렸지만, 다시 꿈을 꾸어야 그 삶을 지탱해 나갈 수 있다는 것이다.

젊은 시절 우리는 모두 저마다의 비트를 가지고 있었다. 들을 때 흥분되고 열정이 살아나는 삶의 멜로디 말이다. 하지만 시간이 흐르고, 내면에서 들려오는 작은 비트 소리마저 더 이상 들리지 않게 되어 버렸다. 삶의 무게 때문에 꿈을 잃어버린 우리는 자신의 열정까지 모두 잃어버린 건 아닐까. 이것이 비트의 소멸이 의미하는 것이다.

이 책은 자신의 꿈을 잃어버린, 그래서 나이 듦이 더욱 서글퍼지는 장년들에게 건네는 나의 이야기다. 40대, 군 복무의 의무가 완전히 소멸하며, 점차 진행되는 노화로 건강에 여러 문제가 생기고, 서점에는 이들을 위한 격려와 위로의 책들이 넘쳐나는, 제대로 중년기의 문턱을 넘어온 시점에 기타를 다시 손에 잡은 한 무명 아티스트가 음악을 시작하며 겪고 생각한 이야기를 두서없이 써 내려간 책이다.

다른 의미로, 이 책은 각박한 삶 속에 죽어 버린 열정을 다시 한 번 되돌릴 수 있게, 그래서 삶을 다시 회생시키며 풍요롭게 살아보기 위한 사람들을 위한 메시지다. 고단한 삶에 지쳐 모든 열정이 사라져 버렸는가? 더 이상 비트가 뛰지 않고 무료한 삶을 살고 있는가? 그렇다면 이제 내 안에 죽어 버린 열정을 되살려야 한다. 나의 이야기를 통해 여러분의 작은 열정의 불씨를 되살릴 수 있다면, 나는 소명을 다한 것으로 생각한다. 아무쪼록 이 책이 여러분들의 심폐소생술과 같은 책이 되길 소망한다.

더 늦기 전에, 잠잠해진 심장을 겨냥한 뿜뿜질을 시작하자. 숨은 쉬는 게 확실한데 비트가 죽어 버린 우리들의 심폐소생을 위해!

장발

    내가 40대 문턱을 넘어서 음악을 하겠다고 선언했을 때, 주변 사람들이 손뼉 치며 아낌없는 지원을 해 줄 거라는 생각은 전혀 하지 않았지만, 그래도 "그래, 한번 잘해 보셔. 건투를 빈다"라는 식의 형식적인 피드백 정도는 있을 줄 알았다. 하지만 현실은 달랐다. 아내에게 그저 "아, 그래? 돈 많이 드는 거 아니야?" 정도의 대답을 들었을 뿐이다.

    나는 평소에 음악이란 마치 젊은 청년들의 사랑이나 중년들의 재테크 또는 노년들의 건강이라는 주제처럼 누구에게나 보편적인 관심 분야라고 생각하고 있었는데, '음악에 관심이 없는 사람들이 상당히 많다'라는 사실을 음악을 시작하고 처음 깨달았다.

    나는 음악을 시작하기로 마음먹은 후 머리를 기르기 시작했는데, 1년 넘게 기른 머리가 어깨 아래까지 내려와 있었다. 자랑은 아니지만, 회사 팀에서는 여성 직원들을 포함해 내 머리가 가장 길다. 딱히 무슨 이유가 있어서 머리를 기른 건 아니다. 단순히 '음악을 시작했으니, 슬슬 머리를 길러야겠군' 하는 생각 때문이었다. 내가 마지막으로 장발을 했던 때는 20대 초중반 밴드에서 기타를 치던 시기로, 당시 '머리 길이는 기타 실력과 비례한다'라는 속설 때문에 음악 좀 한다는 애들은 너도나도 자발적으로 장발족이 되었다. 긴 머리 휘날리며 일렉기타를 사정없이 다운피킹으로 긁어 줘야 록 스피릿이 충만해지던 때였다.

월드 투어를 도는 세계적인 록스타가 꿈이었던 나도 이런 시대의 트렌드에 발맞춰 머리를 길렀다. 세바스찬 바흐나 엑슬 로즈 등 당대 록스타들은 모두 가죽바지와 가죽 부츠, 그리고 긴 생머리를 고수했기 때문이다. (사실 나는 별생각 없이 친구 따라 머리를 길렀다.) 그리고 20년이 훌쩍 흘러 버린 시점에서도 이런 생각이 이어져 '음악=장발'이라는 공식이 머릿속에 각인되어 버린 것이다.

두 명의 자녀를 둔 가장이자 평범한 회사에 다니는 중년 남성이 장발을 한다는 것은 일반적으로 한국 사회에 쉽게 용인되는 행동은 아니다. 남자의 치렁치렁한 장발을 고운 시선으로 바라보는 사람은 여전히 그리 많지 않은 것 같다. 가족들을 포함해서 말이다.

자고로 한국 사회에서 남자의 장발이란 마치 반사회

적 행위와 같은 품행 장애라는 인식이 강하기 때문에 상식적인 성인 남자라면, 구레나룻을 쳐올린 번듯한 머리를 하고, 단정한 차림으로 조직에 몸담고 있어야 한다는 사회적 통념을 따르는 것이 일반적이다. 실제로 한번은 머리가 길다고 회사 인사팀장에게 지적받은 적이 있다. 따라서 한국 조직에서 장발을 한다는 것은 꽤 큰 용기가 필요한 일이다. "자네 지금 머리가 이게 뭔가"라는 직장 상사의 눈치와 "조선시대 머슴도 아니고 대체 왜 머리를 기르는 거야?"라는 아내의 등쌀과 "아빠, 친구가 아빠 보고 엄마냐고 물어봤어"라는 아이들의 불만까지 모두 감당하고 이 모든 것을 음악으로 승화시켜야 하기 때문이다.

물론 장발을 하는 데 어려움과 고통만 있는 것은 아니다. 장발에도 몇 가지 장점이 있다. 바쁜 아침에 머리를 손질할 필요 없이 간편하게 스타일링을 할 수 있다는 점(머리를 한번 쓱 뒤로 넘긴 후 머리 끈으로 묶어 버리면 끝), 이발비를 아낄 수 있다는 점, 회사에서 몰래 이어폰을 끼고 음악을 듣고 있어도 걸리지 않는다는 점, 마지막으로 사람들이 나를 아티스트나 크리에이티브한 사람으로 생각한다는 점이다.

머리를 기르기 시작하자 사람들이 "왜 머리를 기르냐?", "예술 하냐"는 등 나에게 지대한 관심을 보이기 시작했는데, 이는 내가 음악을 한다고 선언했을 때 받은 것과는 비교도 안 될 정도로 많은 관심이었다. 그리고 자연스럽게 내가 음악을 한다는 사실이 주변으로 퍼지기 시작했는데, 지금은 앨범이 나올 때 안부를 묻는 사람들까지 생겼다.

그러고 나서 한 가지 깨달은 사실이 있다. 바로 음악을 하려면 짧은 머리보다 장발이 유리하다는 점이다. 적어도 사람들의 관심을 끌기 위해서는 말이다.

먼 훗날 내가 유명 뮤지션이 되어 월드 투어를 돌고 있을 때, 도쿄돔 대기실에 CNN 기자가 찾아와 "음악을 하려면 어떻게 해야 합니까?"라고 묻는다면 나는 서슴지 않고 이렇게 답변할 것이다.

"먼저 머리를 길러야 합니다."

작곡

희미한 조명이 비치는 책상에 반듯하게 앉아 오선지를 펼친다. 베토벤의 마음가짐으로 빈 오선지를 바라보다 펜촉을 만년필에 꽂아 조표와 박자를 적는다. 머리를 쥐어짜며 여덟 마디 음표를 채우고 먼 지평선으로 시선을 돌린다. 잠시 숨을 고르고 멜로디를 확인하려고 건반을 치던 중 갑자기 '이게 아니야!'라는 외마디 비명을 지르며 악보를 구겨 버린다. 책상 주변에는 마치 사막의 회전초를 연상케 하는 오선지들이 잔뜩 구겨진 채 굴러다니고 있다. 이런 작업을 하루 이틀 되풀이하다 보면 결국 곡 하나가 완성된다. 이것이 내가 작곡하는 방식이다. 하지만 사실 이건 거짓말이다. 컴퓨터로 작곡하는 시대에 굳이 음표를 손으로 그릴 필요가 없지 않은가? (사실 나는 악보를 보지 못하기 때문에 이런 방식의 작곡은 불가능하다.)

미국 문화 예술계의 가장 영향력 있는 작가 중 한 명인 알란 알다(Alan Alda)는 창조적 영감을 얻는 방법을 제시한다며 이런 말을 한 적이 있다. "도시를 벗어나 직관의 야생이 움트는 곳으로 가라." 즉 창의적 영감은 누구도 가지 않았던 곳에 있으며, 편안한 도시 생활을 버리고 창조적 직관이 꿈틀거리는 야생으로 들어가야 한다는 것이다.

나 또한 이 말에 100퍼센트 동감한다. 음악적 영감을 얻는 데 필요한 것은 수업 시간에 배우는 작곡법이나 화성 이론 따위가 아니다. 직관이 넘치는 원초적인 야생에 들어가 헐벗은 자신과 조우하는 것이다. 그리고 이런 무의식의 직관 속에서 놀라운 창의의 원천을 찾게 되는 것이다.

내가 작곡을 하는 방식은 이렇다. 먼저 팬티를 제외한 모든 겉옷을 벗어 던져 버린다. 순식간에 알몸이 되어 버리는 것이다. 팬티 한 장만 남긴 채로 주섬주섬 기타를 꺼내 잡는다. 기타를 적당히 배에 걸친 후 바닥이나 소파에 누워서 뒹굴뒹굴하며 기타 줄을 튕긴다. 음악적 영감을 얻기 위해 모든 것을 벗어 던지고 스스로 야생으로 진입하는 것이다. 이렇게 한참을 튕기다 보면 둘 중 하나의 상황을 맞닥뜨리게 된다. 신이 내린 영감을 마주하거나, 또는 그대로 잠이 들어 버리는 경우다. 참고로, 나는 뒹굴다가 잠들어 버리는 것도 작곡 과정의 일부라고 생각한다.

음악적 영감을 얻는다는 것은 그리 쉬운 일이 아니어서, 기타 줄 퉁기며 뒹굴거리다가 곯아떨어질 때가 많으나, 간혹 나도 인지하지 못하는 사이에 기가 막힌 멜로디나 코드 진행을 써 내려가는 경우도 있다. 이럴 때 순간적으로 휴대전화를 꺼내 떠오른 악상을 녹음한다. 금붕어 수준의 기억력 때문에 5분만 지나도 어렵게 얻은 악상이 그대로 증발해 버리기 때문이다. 혹여나 이를 놓치면 다시 며칠을 바닥에서 뒹굴어야 하는 상황이 되어 버리고 마는 것이다.

거짓말을 조금도 보태지 않고, 내가 만든 모든 곡은 대부분 이런 방식으로 만들어졌다. '뭐? 내가 듣고 있는 곡들이 이런 식으로 만들어졌다고? 지저분하군. 이제 JUNE 53 음악은 듣지 않을래' 하며 등 돌릴 팬들이 있다 해도, 나는 누가 뭐라 해도 팬티 차림을 고수할 생각이다. 훗날 한결 교양 있고 세련된 작곡 방식을 개발하게 된다면 좀 더 갖춰 입고 곡을 써볼 수도 있지 않을까 하는 생각도 있지만, 아직은 창의가 넘치는 원초적 야생에서 건져 올릴 음악적 영감이 넘쳐 난다고 확신한다.

유명 록그룹 '라르크 앙 시엘'의 기타리스트 켄이 한 방송에 출연한 영상을 봤다. 사회자는 발표된 신곡에 대해 이런 질문을 했다. "아, 이 곡은 켄 씨가 작곡한 곡이죠? 켄 씨는 보통 어떻게 작곡을 하나요?" 그러자 그는 이렇게 말했다. "노출이 많아야 합니다." 나는 순간 내 귀를 의심하며 그의 입술에 모든 집중을 기울였다. 그는 말을 이어 갔다. "팬티 한 장으로 빈둥대고 있으면 그동안 생각이 나서 작곡을 하죠. 옷 입을 걸 생각하면 일상으로 돌아와 버립니다. 거기에 야성을 남겨 둬야 좋은 게 나오죠." 나는 무릎을 치며 이렇게 외쳤다. "역시 작곡에는 노출이 최고지!"

올여름에는 역대급 폭염이 찾아올 것이라 한다. 팬티만 입고 곡 작업에 몰입하기 좋은 환경이다. 명곡들이 많이 만들어질 것 같은 예감이 든다.

비만

　회사에서 야근하면 대개 냉동식품, 인스턴트, 패스트푸드 및 레토르트 음식을 사 먹는다. 바쁜 회사 업무 때문에 빨리 먹고 신속히 업무로 복귀하기 위함은 아니고, 단순히 편의점 음식이 너무 맛있기 때문이다. 나는 전형적인 초딩 입맛이라 건강에 좋은 식품들(정확히 말하자면 건강하단 말로 포장된 맛없는 음식)은 될수록 멀리하고 햄, 소시지 등 가공육류와 케첩을 잔뜩 뿌린 튀김 등을 좋아한다. 나는 심지어 생과일보다 프루트칵테일 통조림이 적어도 맛에 있어선 우위라고 생각하는 사람이다.

　어느 날 회사에서 시행한 건강검진 결과표를 받아 보았는데, 중성지방과 내장지방 수치가 갓 레벨업한 RPG 게임의 HP(Hit Point, 체력을 나타내는 게임 전문 용어) 막대처럼 오른쪽 끝까지 올라가 있었다. 그 아래는 친절하게도 '고지혈증'이라 씌어 있었다. 그 순간 나는 마치 무분별한 불량·불법 비디오를 시청한 어린

이같이 '이건 숨겨야 해'라는 절박한 생각부터 들었다. 머릿속에 메아리치는 아내의 잔소리가 들려왔기 때문이다.

그러고 보니 최근 들어 부들부들한 뱃살 때문에 허리띠를 풀어 던졌고, 무릎 관절에도 무리가 오기 시작했다. 급속도로 살이 쪄버린 탓이다. 창조적 영감은 줄고, 뱃살은 늘었다.

가공식품 위주의 식습관, 업무 스트레스, 운동 부족, 그리고 코로나 블루, 이 모든 것이 합쳐져 최종적으로 비만이라는 형태로 나타나게 된 것이다. 나는 고지혈증은 참을 수 있어도 비만이 되는 것은 스스로 용납할 수 없다. 회사에 다니면서도 줄곧 기타를 치고 있었는데, 무엇보다 뚱뚱한 기타리스트는 '간지'가 안 난다.

뚱보가 되어 가는 록스타를 바라보는 것처럼 쓸쓸한 건 없다. 날렵한 턱선과 탄탄한 몸매를 뽐내던 건즈 앤 로지스의 액슬 로즈는 40대가 넘어서자 뚱보가 되었고, 스키드로우의 꽃미남 보컬 세바스찬 바흐도 세월이 흐르자 꽃돼지가 되었다. 잉베이 맘스틴은 살이 붙자 '뚱베이 맘스틴'이라는 별명과 함께 '화이트 B. B. King'이라는 말까지 들어야 했다. 그의 제한된 프레이즈와 속주 테크닉을 비하해 '기타 좀 빨리 치는 돼지'로 평가받았으니 삶의 무게보다 살의 무게 때문에 더 많은 고통을 받은 셈이다. 날렵한 그의 기타가 볼록한 그의 뱃살 위에 붙어 있는 모습은 비극이자 희극이었다.

마음만 먹으면 살 빼는 거야 어렵지 않다고 생각한다. 실제로 단 몇 주 다이어트로 5~6킬로그램쯤이야 손쉽게 감량한 경험도 있다. 문제는 나이가 들면서 이런 마음이 좀처럼 쉽게 먹히지 않는다는 것이다. 밴드 생활을 그만둔 이후로 프런트 맨으로 나설 일도 없어지자 살을 빼야 할 이유와 간절함이 더욱 없어졌다.

시간이 흐르자 중년의 뱃살은 마치 여성 잡지의 별책부록처럼 당연히 붙어 있어야 하는 게 아닌가 하는 생각마저 들었다. 기어코 다이어트는 극도로 귀찮다는 생각과 기타리스트는 간지가 나야 한다는 중압감이 교차하면서 이도 저도 아닌 상태가 되어 버렸다. 마치 노는 것도 아니고, 그렇다고 일하는 것도 아닌 어정쩡한 상태로 계속 야근하고 있는 기분이랄까.

영국의 리버풀 존 무어 대학의 연구팀은 '록스타들이 일반인들보다 약 세 배 빨리 죽는다'라는 연구 결과를 발표했다. 흥미로운 것은 영국 록스타의 주요 사인은 약물과 알코올 남용인 것에 비해 북미 록스타의 경우 심장마비가 많다는 것이다. 추측건대 이는 비만 때문이 아닐까 하는 것이 내 생각이다. 실제로 심장마

비의 최대 위험 요인은 복부 비만이라는 기사를 본 적이 있다.

그러고 보면 음악을 하면서 가장 어려운 것은 음향 이론에 대해 배우거나, 복잡한 연주 테크닉을 습득하거나, 화려한 작곡 기법을 익히는 것이 아닌 것 같다. 바로 살을 빼는 것이다. 이는 대부분의 뮤지션들이 극복하지 못한 과제이며, 내가 음악을 하며 풀어가야 할 숙제일 것이다. 오늘도 다이어트를 다짐하며, 일단은 '뚱베이 맘스틴' 연주 동영상을 틀고 캔맥주 하나 마셔야겠다.

힙합과 록 음악

"이봐, 이거 한번 들어봐. 이 안에 놀라운 게 들어 있어."

중학교에 올라가자 한 친구가 내게 믹스테이프를 건네주며 이런 말을 했다. 집에 가서 테이프를 틀자마자 난 충격에 빠졌다. 16비트의 더블베이스 드러밍과 자극적이고 위협적인 기타 사운드, 씹어 뱉는 듯 탁하게 읊조리는 보컬은 듣는 내내 알 수 없는 전율을 불러일으켰다. 표현하긴 좀 그렇지만 누군가 학교 복도에서 "크리링(만화 '드래곤볼'의 주연 캐릭터)이 죽었다!"라고 외칠 때 받았던 충격과 흡사했다. 그도 그럴 것이 이제까지 내가 들어온 음악이라곤 생상스의 '동물의 사육제'랄지, 슈만의 '어린이 정경'이랄지, 모차르트의 세레나데 정도 수준의 클래식이 전부였기 때문이다. 이건 사실 클래식 광이자 예술고등학교 선생님이셨던 아버지의 영향이 컸다. 아버지는 커다란 스테레오로 종일 클래식 명반을 듣고 계셨다.

내가 처음 접한 이 음악은 미국 헤비메탈 밴드 메가데스의 《Rust In Peace》라는 앨범이었고, 나는 이 앨범을 듣는 순간 내 삶의 진로를 이렇게 정해 버리고 말았다. '세계적인 록스타가 되겠다!' 이때부터 나는 '록보다 위대한 다른 음악은 존재하지 않는다'라고 선언하며 다른 음악 듣기를 거부했다.

　물론 지금 생각해 보면 철없던 시절의 음악적 허세였지만, 이 시절부터 고수해 왔던 이런 배타적 음악 듣기는 시간이 한참 흘러버린 지금까지도 큰 영향을 미쳐 음악적 다양성을 좀처럼 받아들이기 힘든 편식 체질로 만들어 버렸다. 심지어 이 당시에는 무슨 생각이었는지 비치보이스나 앨리스 인 체인스 등 록 음악사에 중요한 밴드들도 '메탈리카보다 한 수 아래'라는 생각을 하기도 했다.

　음악 중에서도 내가 가장 받아들이기 힘든 장르는 록의 대극에 있는 힙합 음악이었다. 좀 과장을 해서 말하자면, 전자 음악으로 점철된 힙합 음악을 듣다 보면 일시적으로 모공이 열리고 한기가 느껴지면서 극도의 스트레스 상태가 되어, 트라이아이오도티로닌, 글루카곤, 인슐린, 에스트로겐 같은 호르몬들이 한번에 솟구쳐 머리에서 폭발하는 느낌이 들었다. (어디까지나 문학적 수사이므로 힙합 팬들께서는 너그럽게 넘어가 주시길 바란다.)

나는 힙합과 일렉트로닉 음악에 밀려 록이 마이너 음악으로 치부되어 버린 한국 대중음악계를 줄곧 비평해 오며 이들 음악 듣기를 거부해 왔는데, 마흔 살에 본격적으로 음악을 하겠다고 선언한 이후 제 발로 힙합 프로듀서를 찾아가 음악을 배우게 됐다.

물론 처음부터 힙합을 해야겠다고 마음먹은 건 아니었다. 잠깐 미디를 배우겠다고 생각한 것이 마치 운명의 장난처럼 1년이 넘는 기간 동안 전문적으로 힙합을 배우게 된 것이다. 이렇게 음악을 시작하다 보니, 자연스럽게 악기 연주가 아닌, 비트 찍기나 샘플링 기법을 이용한 전자 음악을 만드는 데 익숙해졌고, 교류하는 힙합 뮤지션들 생겼다. 그리고 어느새 '역시 대세는 힙합이지'라는 생각까지 하게 됐다. 한편으로는 '아니, 내가 세워 온 음악적 신념을 이렇게 간단히 져버릴 수 있나'라고 생각하면서도, '음, 역시 음악을 하려면 트렌디한 힙합이 제격이지' 하는 모순적인 패러다임 속에 갇히고 말았다.

나의 첫 앨범은 이렇게 탄생했다. 이는 일렉기타 기반의 리프로 전개되면서도, 힙합 리듬이 사용된 어정쩡한 음악으로 당시 유통사 담당자도 "이건 장르를 뭐로 작성해야 하죠?"라는 말을 할 정도로 장르를 규정하기 어려운 스타일이었다. 이 앨범은 '록이냐 힙합이냐'를 갈등하다가 그사이의 절충점에서 만든 것으로 현재 한국에 존재하는 앨범 장르의 범주로는 한정 짓기 어려운 22세기형 음악으로 볼 수 있겠다. 이 음악이 궁금하신 분들은 JUNE 53의 첫 앨범 《LOFI TOMATO》를 들어 보시길 바란다.

명반의 조건

  적어도 문학에서 내가 생각하는 명작의 기준은 책
의 두께, 삽화 여부, 그리고 저자의 생사 여부다.
  작품이 명작으로 남기 위해서는 먼저 분량이 두꺼워
야 한다. 자고로 명작이라고 불리는 작품들은 실로 엄
청난 분량을 자랑해 왔다. 『일리아스』, 『오디세이아』,
『카라마조프가의 형제들』, 『파우스트』 등 일단 고전의
반열에 들어선 책을 보면 600~800페이지를 훌쩍 넘
겨 버리는 책들이 태반이다. 또한 이러한 두께를 단단
하게 감쌀 수 있는 하드커버로 제작되어, 책장에 꽂아
놓으면 알 수 없는 권위가 느껴짐과 동시에 지나가던
누군가가 보더라도, '음, 잘 몰라도, 안에 뭔가 대단한
게 들어 있나 보군' 하는 생각을 들게 하는 책들이다.
마치 전화번호부처럼 사악한 두께와 벽돌 같은 악랄한
무거움으로 사람들의 기를 눌러버리고, 오직 책의 영
광만을 드러내는 그런 책들인 것이다.
  두 번째는 삽화의 유무다. 명작들은 삽화가 없어야

한다. 적어도 내가 아는 고전 명작 중 초판부터 작정하고 수십 장 삽화를 넣어 출판한 세르반테스의 『돈키호테』 말고는 거의 없다. 명작이란 삽화의 도움으로 쉽게 읽혀 버리면 안 된다. 행갈이 없이 무한히 이어지는 만연체의 문장을 천천히 곱씹어 읽으면서 몇 번의 실패와 좌절과 포기 끝에 마침내 독파하는 책이 명작의 반열에 들어설 수 있는 것이다.

마지막 조건은 바로 작가의 생사 유무다. 명작의 대열에 끼기 위해서는 적어도 작가가 죽고 수십 년 세월이 흘러 작품이 충분한 시간의 세례를 받은 뒤 후대에 의해 재조명받거나, '이 작품은 명작이라 불릴 만하다'라는 인정을 받아야 한다. 에밀리 디킨슨은 생존 당시 단 일곱 편의 시만 발표하고 큰 주목을 받지 못했고, 프란츠 카프카 역시 죽은 후 발표된 작품으로 문학사에 한 획을 그었다. 이런 이유로 작가가 죽은 뒤 더욱 빛을 발할 수 있는 작품이 명작이라 생각한다.

그렇다면 명반의 조건은 무엇일까? 내가 생각하는 명반의 조건도 문학사의 명작들 기준과 크게 다르지 않다. 일단 명반으로 남으려면 더블 앨범으로 발표되어야 한다. 디지털 싱글 앨범이 만연한 요즘은 10곡을 가득 채운 정규 앨범을 보는 것조차 쉽지 않다. 하지만 적어도 명반이라 함은 두툼한 CD 2장이 들어 있는 더블 앨범은 되어야 한다고 생각한다. 그래미 하드록 부문 최우수상을 받은 스매싱 펌킨스의 《Mellon Collie and the Infinite Sadness》 앨범, 역대 펑크록의 명반 중 명반으로 꼽히는 더 클래시의 《London Calling》, 핑크 플로이드의 《The Wall》 등 하드록 역사상 가장 영향력 있는 작품들은 앞뒤를 트랙 리스트로 가득 채우고 있다.

물론 곡이 많다고 다는 아니다. 전략적으로 한두 곡 정도만 제대로 만들고, 나머지 곡들은 그저 그런 곡들로 채우고 있는 앨범이 아니라, 마치 통 안에 가득 담긴 프링글스 감자칩처럼 한 곡 한 곡 아티스트의 정성으로 채워진 그런 앨범이어야 한다.

둘째로, 단순한 앨범 커버다. 물론 내 개인적 취향이긴 하지만, 역대 명반들의 커버를 유심히 살펴보면, 아무런 일러스트나 디자인이 없는 앨범들이 유독 많다. 비틀스 9집 앨범은 '화이트 앨범'으로 불리는데, 커버 표지에 아무 그림도 없고 오른쪽 하단에 'THE BEATLES'란 글자만 있다. 참고로 이 앨범 또한 더블 앨범으로 발매되었다. 불후의 명곡 〈Enter Sandman〉이 수록되어 있는 헤비메탈 명반인 메탈리카 5집 앨범 커버는 아무것도 없는 검은색 바탕의 왼쪽 하단에 검은 뱀이 양각으로 파여 있을 뿐이다. 심지어

'METALLICA'라는 밴드 이름도 빼버렸다.

　마지막으로 역시, 아티스트가 사망하는 경우다. 60년대 말 록 음악계를 풍미했던 도어스는 짐 모리슨이 죽고 히피 문화를 상징하는 전설적인 사이키델릭록 밴드라는 칭호를 얻었다. 너바나는 살아생전에도 얼터너티브록으로 세간의 주목을 받은 밴드지만, 리드 보컬 커트 코베인의 사망은 2000년대 음악 시장의 판도를 그런지와 얼터너티브록으로 바꾸는 결정적인 역할을 했다. 코베인의 사망으로 인한 얼터너티브 장르의 화제성이 다양한 음악적 시도와 분화를 이어갈 수 있는 중요한 기폭제가 됐기 때문이다. 비단 이들뿐 아니라 지미 헨드릭스, 브라이언 존스, 로버트 존슨 등 수많은 아티스트들은 죽어서 자신들의 앨범을 명반의 대열에 올려놓았다.

　그런 의미에서 내 앨범이 명반의 대열에 오르기란 마치 소행성 베누가 2300년 0.057퍼센트 확률로 지구와 충돌할 수 있는 확률과 비슷하지 않을까 생각한다. (심지어 나는 아직 번번한 정규 앨범 하나 내지 못하지 않았다.) 하지만 또 모르지 않는가? 꾸준히 노력하다 보면 후대의 누군가 먼지 속에서 털털 털어내고 내 앨범을 발굴해서 명반이라 불러줄지.

오리지널

LA메탈 밴드 스키드로우의 보컬이었던 세바스찬 바하는 최근 한 팟캐스트 방송에서 록 음악에 새로운 목소리를 낼 줄 아는 훌륭한 보컬이 부족하다고 토로하며 이런 말을 했다. "록은 이제 죽어가는 예술이죠. 이제 노래를 부를 줄 아는 사람이 더 이상 없으니까요. 제가 아직 듣지 못했을 수도 있지만 새로운 세대에 제프 버클리나 스티브 타일러를 대신할 보컬은 대체 어딨나요?"

어느새 내가 발매한 앨범이 10장을 넘어섰다. 앨범마다 새로운 시도와 새로운 장르의 음악을 하려고 애써 왔다. 로파이 음악으로 시작해 디스코 펑크, 알앤비, 신스팝 등 다양한 음악을 시도했다. 시간의 흐름에 따른 생각과 감정의 변화가 그대로 앨범에 녹여져 나왔다. 최근에는 교회 찬양에 쓰일 CCM(Contemporary Christian Music) 음악을 외주 받아 작업하고 있다. 1년이라는 짧은 시간 동안 이렇게 수많은 장르의 곡을 닥

치는 대로 만들다 보니, 문득 이런 생각이 들었다. '내가 정말 하고 싶은 음악이 무엇인가?', '나만이 가진 색채의 음악은 무엇인가?'

록스타가 되겠다고 기타를 배우고 인디 밴드를 전전긍긍하다가 지금은 PC 앞에 앉아 미디 샘플만 만지작거리다 보니, 마치 웹소설이나 SF 물이 좋아서 글을 쓰기 시작하다가 자기도 모르게 기성화되어 상업용 주류 문학으로 전향해 버린 작가와 같은 심정이 되어 버렸다.

사실 세바스찬마저 처음 스키드로우에 합류했을 때 본 조비는 이런 말을 했다고 한다. "세바스찬, 네 목소리는 가끔 빈스 닐처럼 들리고, 어떤 때는 로니 제임스 디오처럼 들리고, 또 어떤 때에는 롭 헬포드처럼 들리고, 어떤 때는 닐 다이아몬드처럼 들려. 너만의 목소리를 찾아야 할 거야."

아티스트 스스로의 오리지널리티를 찾는 과정은 마치 가파른 암석 지대를 180킬로미터 횡단해야 하는 코르시카의 GR20 대간을 오르는 여정만큼 어려운 일이다. 무라카미 하루키가 자신만의 문체를 만들기 위해 외국어로 쓴 뒤 번역한 문장을 소설에 적용하는 과정이 있었듯, 헤밍웨이가 신문기자 및 기고 활동을 통해 자신의 간결하고 정확한 문체를 개발해 나갔듯,

뮤지션 또한 자신만의 음악성을 확보하기 위해 부단히 노력해야 하는 것이다. 끝없이 쏟아져 나오는 트렌디한 음악의 풍파 속에서 살아남으려면 단단한 음악적 구심점이 있어야 한다. 이것이 없거나 흔들리 시작하면 뮤지션으로서의 가치는 떨어진다.

세바스찬은 인터뷰 말미에 이런 말을 한다. "제가 80년대에 시작할 당시에 저희만의 소리가 있어야 한다는 걸 모두 알았어요. 그 당시 모든 음악가의 목표였죠. 왜냐면 프로 툴스(미디 작곡 프로그램)나 컴퓨터가 없었으니까요. 우리만의 보컬 소리를 찾아야 했어요. 저조차 제 목소리를 찾기 위해 노력했죠."

자신의 음악을 찾는 건 자신에게 본질적인 질문을 던지고, 끊임없이 답하는 과정이라는 점에서 결국 나를 알아가는 과정과도 같다고 생각한다. 즉 삶을 살아가는 방식과 명확한 삶의 태도를 가지고 '내가 누구인가'라는 궁극적인 질문에 대한 해답을 찾을 수 있을 것이다. 위대한 아티스트들은 모두 이런 과정을 밟아왔다. 따라서 AC/DC는 40년간 8비트 로큰롤만 고수했으며, 슬레이어 또한 40년간 스래쉬 메탈이라는 한 우물만 파올 수 있었다.

'내가 궁극적으로 추구하고 하는 것은 무엇인가'에 대한 답변은 비단 나 같은 초짜 뮤지션뿐 아니라, 동시대를 살아가는 우리가 평생 고민해야 할 숙제일 것이다.

꾸준함

어니스트 헤밍웨이는 장문의 서신을 한 통 보낸다. 스콧 피츠제럴드에게 보내는 답장이었다. 피츠제럴드는 『위대한 개츠비』에 이어 네 번째 소설 『밤은 부드러워』를 쓰던 중이었고, 헤밍웨이에게 차기작에 대한 조언을 구한 것이다. 헤밍웨이는 장문의 편지로 아주 솔직하고 진중한 답변을 한다. 그의 편지에는 창작과 글쓰기에 관한 내용이 포함되어 있는데 그중 나한테 와닿는 말이 있었다.

"글이 형편없고 어찌할 수 없을 정도로 엉망일 때도 그냥 계속해서 써나가야 하네. 소설을 다루는 방법은 오로지 한 가지뿐일세. 빌어먹을 이야기를 끝까지 밀어붙이는 거지."

일단 상황이 어찌 됐건, 꾸준히 써 내려가서 끝을 봐야 한다는 말이다.

대부분 글쓰기가 탁월한 작문력과 서사력, 문학적 감수성과 뛰어난 영감이 없어서 못한다고 생각하지만,

글을 쓰지 못하는 까닭은 명쾌하다. 꾸준하게 글을 쓰지 못하기 때문이다.

작가들의 슬럼프를 일컫는 라이터스 블록(Writer's block)이라는 말이 있다. 창작이 둔화되어 새로운 작품을 만드는 능력을 소실하거나 독창적인 발상이 어려워지는 상태를 말한다. 무라카미 하루키는 이제까지 글을 쓰면서 이를 한 번도 경험해 본 적이 없다고 한다. 매일 새벽에 일어나 대여섯 시간을 집필하는 과정을 35년간 해왔다는 것이다. 소설을 쓰지 않을 때는 번역을 하거나 에세이를 쓰거나 하면서 꾸준히 글쓰기의 흐름을 유지해 온 것이 비결이었다.

흥미로운 것은 이런 꾸준함이라는 게 비단 글쓰기뿐 아니라 음악을 만드는 데도 고스란히 적용된다는 것이다.

잘 알고 지내는 음악 프로듀서와 식사를 했다. 최근 들어 작곡 및 미디 레슨을 많이 하는데, 아무리 수업을 들어도 실력이 늘지 않는 학생들이 많다고 한다. 그 까닭에 대해 이렇게 말했다. "곡을 끝까지 만들어 오는 애들이 없어요. 그냥 몇 번 끄적이다 오고, 레슨 시간에 때우다가 가요. 일단 곡이라도 완성해서 가지고 와야 피드백을 해줄 텐데 말이죠. 그냥 취미 삼아 적당히 배우는 거죠."

그는 꾸준하게 곡 작업을 하는 수강생이 없을 뿐 아니라, 제대로 곡을 완성해 오는 수강생이 없어 수업 시간의 대부분을 같이 곡을 완성하는 방식으로 수업을 진행한다고 한다. 그런 면에서 보면 문학 작품을 쓰던, 음악을 만들던 결과를 내기 위해 중요한 것은 성실함과 꾸준함으로 계속 작업을 하는 방법밖에 없는 것 같다.

나는 1년간 36곡을 만들었다. 열흘에 한 곡씩 만들어 낸 셈이다. 단순한 스케치 곡 수준이 아니라 믹싱과 마스터링까지 모든 과정이 완료되어 실제 앨범으로 발표된 곡들이다. 이제 막 음악을 시작한 내가 짧은 시간에 많은 곡을 만들 수 있었던 것은 니콜로 파가니니처럼 신에게 영혼을 팔아 재능을 얻게 된 것도 아니요, 베토벤처럼 유년 시절부터 혹독한 음악 교육을 받은 것도 아니었으며, 멘델스존처럼 일찍 음악적 재능을 꽃피웠기 때문은 더더욱 아니다. 그저 출근 전 2시간, 퇴근 후 2시간을 매일같이 음악 작업에 투자했기 때문이다. 어떤 음악적 영감이 떠오르지 않더라도, 빈 프로젝트 파일을 열고, 한두 시간 버티다가 엉성한 4마디의 루프라도 만들고 하루 작업을 마무리했다.

하지만 생각해 보면 꾸준함과 성공은 또 별개의 문제인 것 같다. 프란츠 카프카는 보험회사에 근무하면서 매일 꾸준히 소설을 쓰며 작가의 꿈을 이뤄냈지만, 살아생전에는 대단한 문학적 성취를 이뤄내지 못하고 삶을 마무리했다. 나 또한 아티스트의 꿈을 가지고 매일 음악 작업을 하지만, 발매한 앨범들은 변변치 못한 성적을 내고 있다.

하지만 또 누가 아는가! 카프카의 친구 막스 브로트가 그의 유작, 일기, 편지 등을 출판하여 현대 문학사에 카프카의 업적을 남겼듯, 훗날 나의 음악이 대중음악사에 한 획을 긋게 될지.

버스킹

청년 시절 밴드 멤버로 클럽 공연은 많이 해봤지만, 버스킹은 한 번도 해본 적이 없다. 내 삶에서 단 한 번 버스킹을 해본 적이 있었는데 바로 교회 찬양팀에서였다. 나는 이 버스킹을 평생 잊지 못할 경험으로 가지고 있는데, 손이 얼어붙을 정도로 날씨가 추웠기 때문이다. 당시 상황을 되돌아보면, 교회 집사님인지 찬양팀 단장인지 누군가 '연말 거리에 캐럴이 없다면 앙꼬 없는 찐빵과 같다'라는 취지의 말을 꺼냈고, 그럼 '이번 주 토요일에 거리로 나가 캐럴을 부르자'라고 일사천리로 결정된 것이다.

물론 캐럴이라 함은 혼자 소파에 앉아 느긋하게 감상하는 음악이 아니라, 길거리 어디선가 들려오는 것이라야 더 큰 의미가 있다고 생각한다. 거리에서 우연치 않게 정겨운 친구를 마주치듯, 거리에서 우연히 마주쳤을 때, 지나간 어린 시절의 시간이라던가 행복했던 기억을 떠올리며 사랑이 충만한 감정을 느낄 수 있는 것이다.

연말의 길거리에서 들려오는 캐럴은 마치 갓 지은 고슬고슬한 밥 위에 한 조각 올려진 버터와 같다. 자신은 사르르 녹아 사라지면서 모든 밥알을 따뜻이 품어 버리는 것이다. 캐럴이 길거리에 울려 퍼질 때 세상의 모든 것을 품어 버리고, 지나가는 사람들 맘속에 화해와 용서의 기분을 불러일으키며, 사랑의 약속을 환기시키는 그런 음악인 것이다.

하지만 나는 이 버스킹 이후 캐럴이 지긋지긋해져 버렸는데, 날씨가 추워도 너무 추웠기 때문이다. 당시 뉴스에서는 21세기 들어 가장 극심한 한파를 기록했다는 내용을 2002 한일월드컵 본선 조 추첨 진행 소식과 비등한 중요도로 내보내고 있었다.

버스킹에서 내 포지션은 통기타였는데, 제한적인 장비로 진행되는 공연이다 보니, 악기는 통기타 한 대와 키보드 한 내뿐이었다. 보컬이야 호주머니에 있는 따뜻한 핫팩에 손을 녹이면서 노래를 부르면 그만이지만, 기타는 양손을 써야 하기에 여간 고통스러운 게 아니었다. 한 곡만 연주해도 손이 떨어져 나갈 거 같았다. 유타주 블루존 캐넌에서 홀로 등반을 하다 암벽에 팔이 끼여서 127시간 고립된 후 자신의 팔을 잘라내고 탈출한 아론 랠스턴의 고통이 이와 같을 것이라 생각했다.

예수 그리스도가 겪은 십자가의 고난이 이와 같았을까 하는 생각을 줄곧 하며 신앙으로 고통을 이겨내자는 생각을 했는데, 갑자기 이런 생각이 들었다. '아, 내가 굳이 연주 안 해도 키보드가 있으니 괜찮겠군.' 그리고 양손을 주머니에 찔러 넣었다. 갑자기 연주를 멈추자 키보드 치는 자매와 눈이 마주쳤는데, 마치 편파 판정으로 금메달을 놓쳐 버린 올림픽 출전 선수와도 같은 억울한 표정을 짓고 있었다. 나는 어쩔 수 없이 손을 탁탁 털며, '하하하, 추워서 그런 게 아니라 손에 뭐가 묻어서 잠시 기타를 놓았다'라는 제스처를 보내며 기타 연주를 계속할 수밖에 없었다. 버스킹은 생각보다 짧은 시간에 마무리됐고 우리는 빨갛게 불어 터진 손으로 주섬주섬 장비를 챙겨 거리를 빠져나왔다. 노래를 듣는 사람들이 아무도 없었기 때문이다.

최근에 잠시 외출했다가 약속 시간이 남아 일명 '문화의 거리'라고 쓰여 있는 휘황찬란한 현수막을 내건 동네 골목길을 별 목적 없이 거닐고 있었다. 참고로 우리 동네에는 '○○의 거리' 또는 '○○골목'이라는 표현을 굉장히 좋아해서 골목길 이름만 십수 개가 되는데, 사실 별다른 특징 없는 동네 뒷골목이다.

'문화의 거리'에는 대형 노래방, 프랜차이즈 식당과

옷가게들만 즐비하게 늘어서 있기에 '허, 이거 문화의 거리가 아니라 밤 문화의 거리라고 해야 하는 게 아닌가'라는 생각으로 터벅터벅 걷고 있는데, 어디선가 로스 로보스 버전의 〈라밤바〉 전주가 흘러나왔다. 자세히 살펴보니 바로 앞에서 4인조 인디 록밴드가 버스킹 공연을 하고 있었다. 오랫동안 합을 맞춰 왔는지 모든 악기가 하나의 목소리를 내고 있는 괜찮은 밴드였다.

시간은 평일 낮 2시 정도였기 때문에, 관객이라곤 교복 입은 학생 네 명과 딱 봐도 나이가 지긋해 보이는 어르신 세 분, 그리고 주변을 뛰어다니는 동네 꼬마 몇 명이 전부였다. 밴드는 힘을 다해 노래를 불렀고, 팀에 대한 소개와 앨범 홍보도 잊지 않았다. 밴드의 열정과는 대조적으로 주변 상인이나 행인들은 밴드에게 눈길조차 주지 않았다. 밴드를 둘러싸고 있는 2미터 남짓한 공간은 마치 다른 시공간에 있는 것처럼 비현실적으로 느껴졌다. 차갑도록 무심한 거리와 뜨거운 열기를 뿜어내는 밴드에서 느껴지는 극심한 온도 차가 만들어 내는 광경이었다.

순간 그 오래전 캐럴을 부를 때 생각이 스쳐 지나갔다. 내가 느꼈던 추위는 날씨가 만들어 낸 것이 아니라 무심한 거리가 만들어 낸 환영이었다. 딱 한 번이었던 나의 버스킹이 손가락 얼얼한 고통으로만 기억되는 건 혹한 탓이 아니라 나의 열정이 충분히 뜨겁지 못했기 때문이었을 것이다.

저작권

도널드 트럼프는 이런 말을 한 적이 있다. "돈은 내게 큰 동기가 아니라 단지 점수였다. 진짜 재미는 게임을 즐기는 것이다." 뒤돌아보면 나를 지탱해 온 삶의 두 축은 바로 컴퓨터 게임과 음악이었다. 청소년기에는 온종일 게임을 하다가 지치면 기타를 치고, 기타를 치다 지치면 게임을 했다. 장담컨대 내가 전자오락실에서 게임을 하고 게임 콘솔을 사는 데 쏟아부은 돈을 합치면 레코딩 스튜디오를 한 채 마련하고도 남았을 것이다.

대학 시절, 여느 날과 다름없이 그날도 당시 유행하던 대전 격투 게임을 하러 오락실에 갔는데, 전혀 보지 못한 종류의 게임기가 떡하니 자리를 차지하고 있었다. 코나미사에서 만든 '비트매니아'라는 리듬 게임 머신이었다.

여기서 잠깐, 리듬 게임이 무엇인지 간단하게 설명하자면, 플레이어의 리듬 감각에 의존해 진행되는 형태의 게임을 말한다. 게임기에서는 흥겨운 음악과 리듬에 맞춰 막대기들이 쏟아져 나온다. 막대기들이 땅에 떨어지는 정확한 타이밍에 버튼을 누르면 점수가 올라간다. 아주 단순한 법칙이지만 갈수록 빨라지는 템포와 복잡한 리듬의 음악에 맞게 떨어지는 막대들을 쳐내는 것은 굉장한 동체 시력과 체력이 요구되는 것이기에 결코 쉬운 게임은 아니다.

나는 이 게임을 보는 순간 무릎을 치며 '아, 그래 이것이 게임의 미래다'라는 생각을 하며 리듬 게임에 빠져들고 말았다. 도스토옙스키는 톨스토이의 『안나 카레니나』를 "예술 작품으로서 완전무결하다"라고 평했다고 하는데, 게임에서는 비트매니아가 바로 이러했다. 게임과 음악의 조화란, 요컨대 군더더기라곤 한 군데도 없는 완벽한 게임이었던 것이다.

비트매니아는 최초의 리듬 게임답게 엄청난 성공을 일궈냈다. 이후 키보드 매니아, 드럼 매니아, 기타 프릭스 등 다양한 악기의 게임이 쏟아져 나오자 나는 '오락실에서 록밴드를 만들어도 되겠군' 하는 생각을 하게 됐는데, 실제로 밴드 멤버들과 거의 매일 오락실에서 리듬 게임을 두들겼다. 하지만 카르타고를 몰아내고 영원한 부귀를 누릴 것 같던 로마제국이 역사의 뒤안길로 사라진 것처럼, 격투 게임을 장악하고 한동안 오락실을 점령했던 리듬 게임은 시간이 지날수록 서서히 자취를 감추기 시작했는데, 알고 보니 개발사 코나미의 저작권 문제 때문이었다.

무슨 사정이 있었는지, 코나미는 정말 세세한 것까지 특허를 신청했는데, 이것이 리듬 게임 몰락의 발단이었다. 예를 들면 코나미는 '노트(떨어지는 막대)는 세로로 떨어진다. 각 노트는 일대일로 버튼에 대응한다' 같은 아주 일반적인 개념부터 플레이어가 실수를 하면 배경 화면이 변화한다라는 세부적인 내용까지 수많은 특허를 내버렸다.

심지어 코나미의 리듬 게임 특허에 관한 논문이 발표됐을 정도로 코나미는 리듬 게임에 관한 거의 모든 특허를 독식했다. 따라서 후발주자로 뛰어든 개발사들은 아예 리듬 게임에 대한 개발 자체를 포기하거나 이미 판매가 되었던 게임에 대한 판매를 중단했으니 리듬 게임 장르의 발전은 제한적일 수밖에 없었던 것이다.

현재 48억 뷰를 기록하고 있는 싸이의 〈강남 스타일〉의 성공 요인 중 하나는 바로 저작권 포기에 있었다. 저작권법을 내세워 패러디 창작을 제한했던 업계의 행보(한국음악저작권협회는 가수 손담비의 노래를 따라 부른 모습을 담은 다섯 살 어린이의 영상 삭제를 요구했던 사례도 있다)와는 다르게 싸이는 음원의 저작권 행사를 포기했다. 나아가 음원을 이용한 패러디 영상 제작을 허용함으로써 수많은 콘텐츠가 재생, 확산되었던 것이다.

　최근 저작권협회의 정회원으로 가입하고 서른 곡 정도를 등록했다. 하지만 내 곡이 팔레스타인 분쟁과 내전으로 고통받는 예멘과 미얀마, 러시아와 우크라이나의 평화를 위해서 사용된다면, 팬데믹의 안정화와 식량 부족 및 자연재해로 고통받는 아프리카와 중남미의 회복을 위해서 사용된다면, 기꺼이 모든 저작권을 포기할 예정이다.

컴프레서

　미국에서 유학하던 시절의 이야기다. 나는 대학교를 인디애나주에서 다녔는데, 겨울방학을 이용해 3주간 뉴욕을 혼자 여행한 적이 있다. 하루는 맨해튼의 거리를 정처 없이 돌아다니다가 피곤함을 느껴 잠시 쉬어 갈 만한 곳을 찾고 있었는데, 바로 앞에 그리스·로마 양식의 고풍스러운 석조 건물 하나가 눈에 띄었다. 바로 100년 역사를 간직한 뉴욕 공립도서관이었다. 외지인이 뉴욕으로 이사 오면 자유의 여신상이 환영 인사를 하고 뉴욕 도서관이 오리엔테이션을 시켜서 진정한 뉴요커로 만들어 준다는 말이 있을 정도로 뉴욕 도서관은 뉴요커들이 애용하는 시설이다.

　문을 열고 들어가 보니 1층 열람실은 이미 사람들로 가득 차 있었다. 얼핏 봐도 백 명은 족히 넘는 사람들이 각자 녹색 램프 앞에 앉아 독서를 하거나, 책을 가득 쌓아놓고 뒤척이고 있거나, 노트북 컴퓨터로 무엇인가 열심히 타이핑하고 있었다. 나는 구석 한 칸에 앉아 '이제 어디로 향해야 하나' 하는 고민을 하던 차에 그만 스르륵 잠이 들고 말았다. 얇은 점퍼 한 장 걸치고 차가운 공기 속을 배회하다 도서관의 따뜻한 온기를 맞이하니, 나도 모르게 눈이 감기고 만 것이다. 얼마쯤 지났을까, 무엇인가 내 옆구리를 찌르는 감각이 느껴졌다. 무엇인가 내 앞에 있다, 라는 인지가 있었지만 쉽게 눈을 뜰 수 없었다. 유구한 꿈의 나락에 빠져 현실과 비현실의 경계가 모호해진, 한마디로 이성의 컨트롤을 완전히 잃어버린 상태였기 때문이다.

꿈속에서 희미한 음성이 들려왔다. 마치 누군가 내 뱉은 메아리가 돌아와 울리는 느낌이었다. '게라으으… 게라으으으으… 게라우우우우우우… 게라으으으으으우우우우우우우우우웃…' 이것은 신의 음성인가, 하늘의 계시인가 하는 생각을 하는데, 갑자기 이 소리가 페이드인 되면서 명확하고 또렷하게 들렸다. "겟! 아웃! 오브 히어!" 번뜻 눈을 떠 보니 코앞에 도서관의 경비를 담당하는 경찰관이 서 있었다. 그는 나를 보며 단단히 화가 난 표정으로 '잘 거면 나가라'고 경고했다. 아마 미꾸라지 한 마리가 물을 흐려놓듯이, 내가 도서관 전체의 면학 분위기 저해시킨다고 생각한 모양이다. 나는 강압적인 경찰관의 태도에 자세를 고쳐 잡고 마치 수능을 앞둔 수험생의 마음으로 옆에

놓인 책을 붙잡을 수밖에 없었다.

음악을 만들 때 꼭 필요한 장치 가운데 하나는 컴프레서(compressor)라고 불리는 이펙터다. 흡사 이것은 뉴욕 도서관의 경찰관 같은 역할을 하는데, 분위기를 해치는 모든 소리들을 깔끔하게 정리해 버리고, 마치 음악적 면학 분위기를 조성하는 역할을 하기 때문이다. 압축기라는 뜻의 컴프레서는 말 그대로 소리를 눌러 압축하는 장치다. 즉, 각각의 악기 소리가 균일하지 못할 때, 큰 소리를 압축하여 전체적인 소리의 차이를 줄여주는 것이다. 수많은 악기 소리와 트랙으로 구성된 프로젝트 파일에 컴프레서가 걸려 있지 않으면 소리들은 서로 어울리지 못한 채 허공을 떠돌거나 음색이 엇나가 음악적 밸런스를 해친다. 따라서 음악의 조화로운 분위기 조성을 위해 혼자 삐져나오거나 따로 놀고 있는 음들을 압박하는 컴프레서의 역할이 중요한 것이다.

최근 아내와 말다툼을 했다. 내 외모와 옷차림이 이슈였다. 내가 장발을 하고 매일 같은 옷만 입고 다니니 동네 백수 같다는 것이었다. 나는 몇 년 전부터 미니멀리스트가 되겠다고 거의 모든 옷을 처분하고 검정 티셔츠 몇 벌과 검정 바지 두 벌로 사계절을 버텨 왔는데 이것이 거슬렸던 것이다. 거기다 머리까지 장발이니 상당히 못마땅했나 보다. 아내는 내게 머리를 기르려면 정돈을 하면서 길러야 한다고 다그쳤는데, 나는 머리를 다듬기 시작하면 더 이상 머리를 기를 수 없게 된다며 호들갑을 떨었다. 머리를 다듬는다는 행위는 마치 조리 시간 조절에 실패해 불어버린 라면과 같아서 한 번 다듬게 되면 다시 장발로 돌아오기 힘들다는 것을 경험으로 알고 있었기 때문이다. 게다가 한술 더 떠서 "어때? 머리 기르고 염색까지 하니, 인자하신 예수님 형상을 보는 것 같지 않아?"라고 했더니, 아내는 대뜸 "살이나 빼"라면서 말싸움을 더 이상 이어가지 않았다.

나는 적지 않게 놀랐다. 몇 년 전 같았으면 이런 주제로 다툼이 시작되면 최소 3일 이상은 언쟁이 지속되었는데, 어느덧 10년 넘게 같이 살다 보니 서로에게 큰 상처를 주지 않은 선에서 대화를 마무리할 수 있는 적정점을 자연스럽게 찾게 된 것이다. (사실, 아내는 더 이상 말을 해도 듣지 않는다는 걸 알고 포기했던 것 같다.)

어떻게 보면 우리 삶은 컴프레서를 찾는 과정이 아닌가 싶다. 튀어나온 모진 부분을 삶의 컴프레서로 누르고 압축해 서로의 조화를 맞춰가는 과정이기 때문이다.

보컬

데뷔 앨범 발매 이후 나는 줄곧 연주곡만 발표했는데, 보컬 구하기가 쉽지 않았기 때문이다. 처음에는 기세등등하게도 '음악성으로 승부를 볼 거야!'라고 생각하며 연주곡만으로 대단한 성과를 낼 수 있을 줄 알았다. 산타나, 제프 백, 이루마 같은 뮤지션들이 연주곡만으로도 대중들의 많은 사랑을 받은 것처럼 말이다.

현실은 달랐다. 일단 보컬이 없는 곡은 제대로 된 유통사에서 계약을 진행하는 것도 쉽지 않았다. "아, 저희는 연주곡은 진행 안 해서요"라며 대놓고 말하는 곳이 있는가 하면, '아쉽지만 발매할 수 있는 타이틀 수가 줄어들어 유통할 수 없다'라며 에둘러 거절하는 곳도 있다. 유통을 진행한다 해도 멜론이나 지니 뮤직 등 대표적인 음원 스트리밍사에 메인으로 노출되는 프로모션은 불가능했다.

연주 음악 불모지인 한국 음악 시장에서 연주곡으

로 승부를 건다는 것은 마치 툰드라 지대의 영구동토가 이상 기후로 인해 녹아내리고, 그 위에 다시 물이 고이고, 풀이 돋고, 곡식이 영그는 과정만큼이나 어렵다. 따라서 시간이 지나며 자연스럽게 '음, 역시 음악을 하려면 보컬이 필요하군'이라는 생각이 들게 됐다.

처음에는 보컬 곡을 만들려고 보컬 샘플링 파일을 사용했으나, 제대로 된 샘플링 파일을 찾는 것은 동네 놀이터에서 금속탐지기로 13세기 영국 왕실의 사라진 보물을 찾기만큼이나 어려운 일이었다. 코드에 맞는 샘플링 파일을 구한다 하더라도 곡의 분위기나 박자에 맞는 샘플링 파일을 발견하는 것은 동네 놀이터에서 금속탐지기로 방금 찾은 13세기 영국 왕실의 사라진 보물이 홍콩 크리스티 경매에 올려져 경매 사상 최고가로 낙찰되어 일확천금을 움켜쥘 기회를 잡기보다 어려운 일이다. 따라서 외주 보컬을 수소문하기 시작했다.

며칠간 고생 끝에 내 곡과 잘 어울리는 목소리 톤을 가진 아티스트를 만났다. 하지만 이런 괜찮은 외주 보컬의 세션 비용은 나 같은 무수익, 열정페이로 근근이 음악 활동을 이어가는 아티스트들에게는 버거운 비용이었다. 그래서 결론을 내렸다. '그래, 이참에 내가 보컬을 해야겠다!'

몇 달에 걸쳐 용돈을 차곡차곡 모아, 제대로 된 마이크를 하나 구입했다. 하지만 녹음을 해보니 한 가지 문제가 있었다. 일반 가정집에서는 녹음이 쉽지 않았다. 고성능 마이크이다 보니, 옆집에서 문 두들기는 소리, 택배 아저씨가 초인종 누르는 소리, 개 짖는 소리 (나는 개를 키우고 있다. 작은 발걸음 소리만 들어도 짖어댄다) 등 온갖 잡다한 소리가 죄다 녹음됐다. 한 소절을 부르기 위해서는 최소 20번 이상 녹음을 해야 그나마 괜찮은 소리가 녹음됐다. 물론 NASA 통제실을 닮은 스튜디오에서 수십만 원 이상을 지불해서 나오는 녹음 수준을 기대한 것은 아니지만, 이렇게까지 고된 작업이 될 것이라고는 예상하지 못했다. (실제로 녹음된 트랙에서 개 짖는 소리를 잘라서 편집하느라 상당한 시간을 소비했다.)

　또 한 가지 문제는 내 보컬 실력이었다. 배가 고프지 않아도 내 의지와 상관없이 계속 먹게 돼버리는 영화관의 팝콘처럼, 노래라는 것은 내 의지대로 할 수 있는 게 아니었다. 보컬이라는 것은 일반적인 악기와 다르게 마음먹은 대로, 즉 이성적 컨트롤이 가능한 영역이 아니었던 것이다. 따라서 그저 원하는 소리가 나올 때까지 같은 구절을 무한히 반복해서 부를 수밖에 없었다. 《Summer Ends and, Autumn Chill》 앨범의 타이틀

곡 〈I Could Be The One〉은 한 마디 한 마디를 수십 번에 걸쳐 녹음한 후 편집을 통해 만들어졌다.

어렸을 적 서태지는 훌륭한 작곡가지만 보컬리스트로서는 좀 아쉽다라는 생각을 했는데, 직접 노래를 해보니 서태지가 얼마나 위대한 보컬이었는가를 새삼 깨달았다. 직접 해보지 않으면 알 수 없고, 걸어 보지 않은 길 위에 서 있을 수 없는 법이다.

패턴

어린 시절 오락실에서 '에어리어 88'이라는 비행기 슈팅 게임을 즐겨 했다. 에어리어 88은 멋진 전투기와 전장에서의 전우애, 아름다운 여성, 출생의 비밀과 친구의 배신, 기억상실증과 권력의 투쟁까지 남자들이 좋아할 만한 요소를 다 넣어 만든 항공 용병부대를 그린 만화를 게임화한 것이다. 워낙 이 만화를 좋아해서 게임이 나왔다는 소식을 접하자마자 오락실로 달려갔는데, 5분을 채 넘기기 어려운 극악의 난이도 때문에 수많은 동전을 게임기에 투입해야 했다. 오기가 생겨서 이 게임을 거의 매일 6개월 동안 플레이했는데, 어느 순간 적의 공격에 패턴이 있음을 알게 됐다. 예를 들면 어떤 적은 미사일 발사 직전에 잠깐 멈춰 있는 타이밍이 있다. 두 번째 스테이지에서 적은 바람개비처럼 회전하는 발사 패턴을 가지고 있다. 세 번째 보스는 대각선으로 이동하면 쉽게 공격을 피할 수 있다는 식인 것이다.

이처럼 컴퓨터 게임을 하다 보면 보스나 적 캐릭터가 나타나거나, 또는 이들이 공격할 때 일정한 방식과 타이밍이 정해져 있음을 알 수 있다. 게임을 잘한다는 것은 이러한 공격 패턴을 재빨리 파악하고 적절한 조작을 통해 게임을 풀어나가는 것을 말한다. 이런 패턴은 비단 액션형 RPG나 슈팅 게임뿐 아니라 대전 격투 게임에서도 마찬가지로 적용된다. 상대의 플레이를 보고 공격 패턴을 파악한 후 플레이를 하면 손쉽게 상대를 격파할 수 있는 것이다. 실제로 30년간 게임만 해온 지인 A씨는 아무리 어렵고 복잡한 게임이라도 18시간 안에 모든 게임을 플레이한다고 하는데, 긴 세월을 통해 단시간에 적 캐릭터의 패턴을 간파하는 역량을 축적했기 때문이다.

음악을 만드는 과정도 게임을 진행하는 방식과 꽤 유사한 것 같다. 음악에도 일정한 패턴과 공식이 존재해 좋은 음악을 만들려면 엄연히 이러한 패턴에 따르게 된다는 얘기다. 예컨대 미디로 드럼을 찍을 때 BPM이 120 이상일 경우 3박자에 스네어를 찍는다. 120 미만일 때는 2박자와 4박자에 찍는다. 서브 스네어의 경우 정박을 비켜서 찍는다는 일종의 패턴이 존재한다. 코드 진행도 마찬가지다. 코드 진행에도 A 다음에 B가 오고, B 다음에 C가 온다라는 식의 정형화된 패턴이 존재해, 이런 진행 패턴을 숙지하고 있는 것만으로 상당히 듣기 좋은 음악을 만들 수 있는 것이다.

심지어 멜로디를 만들거나 솔로 연주를 할 때도 이런 패턴이 적용된다. 나는 이런 화려한 연주들은 연주자의 감정에 따라 가변적일 것이라는 생각을 했었는데, 알고 보니 철저히 계산된 하모니에서 나온 것이었다. 정형화된 코드 진행이 있고, 그 코드에 사용할 수 있는 스케일이 존재하며, 곡의 분위기에 맞는 패턴화되어 있는 리듬이 존재하는 것이다.

게임에서 다양한 공격 패턴과 기술을 조합해 게임을 운용하듯 음악을 잘하려면 음악에서 사용하는 다양한 패턴들을 외우고 이를 조합해 내는 역량이 중요하다. 창의성이란 개념과 개념의 연결을 통해 새로운 스토리가 만들어지는 것을 의미하는데, 평소에 외워 둔 지식이 없다면 개념들을 연결 짓는 것은 사실상 불가능하다. 결국 음악이란 패턴과 패턴의 연결을 통해 색다른 소리를 찾아내는 과정이며, 이 속에 감성이 더해져 뮤지션만의 고유한 음악이 창조되는 것이다.

게임 속 적의 공격 패턴을 알기 위해서는 많은 시간을 들여 수많은 주인공 캐릭터의 죽음을 봐야 한다. 하지만 이런 패턴을 거의 아무런 노력 없이 알 수 있는 방법이 있는데, 바로 게임 공략집이나 공략 비디오를 보고 그대로 따라 하는 것이다.

혼자서 음악을 만들다가 레슨을 받게 됐다. 레슨은 확실히 효과가 좋았는데, 선생님의 작업 방식과 노하우를 학습해 한결 좋은 음악을 만들게 됐기 때문이다. 음악에도 공략집이 필요한 이유인 것 같다.

뮤지션과 미니멀리스트

다양한 음악을 하려면 장르마다 꼭 맞는 기타가 필요하다. 마치 마음에 드는 이성과 첫 데이트에 크림 카르보나라가 어울리듯, 9회말 2사 만루 같은 흥미진진한 야구 경기를 볼 때는 치킨이 어울리듯, 어둠침침한 독립영화관에서 동유럽 영화를 볼 때 잘 튀겨진 플레인 팝콘이 어울리듯, 펑크 음악에는 텔레캐스터가 있어야 하고, 블루스에는 깁슨 레스폴, 메탈에는 잭슨이나 비씨리치 기타가 필요한 것이다.

사실 이건 거짓말이다. 그저 이쁘게 생긴 기타를 모으다 보니 어느새 열 대가 훌쩍 넘어 버렸다. 몇 년 전 미니멀리스트가 되겠다고 선언한 뒤 대부분의 짐은 정리했으나, 이 기타 컬렉션만은 버리지 못하고 한동안 가지고 있었다. 막상 처분하려 하니 내 젊은 날의 추억이 송두리째 뽑혀 아궁이에 불태워지는 느낌이었다. 하지만 음악을 하기로 작정한 이후에 오히려 거의 모든 기타를 처분하고 말았는데, 음악을 하는 데 필요한 값비싼 고성능 PC를 장만해야 했기 때문이다.

미술에는 여백의 미를 강조하거나 최소한의 오브제를 표현한 미니멀리즘이 존재하며, 문학에도 불필요한 단어와 수사를 지양하는 미니멀리즘 문학이 존재한다. 음악에서도 마찬가지로 최소한의 음표와 악기로 표현하는 미니멀리즘 사조의 음악이 존재한다. 단순한 패턴을 조합해 새로운 방식으로 구조화하고, 이를 통해 복잡하고 많은 패턴을 사용하는 작품보다 다채롭고 신선한 음악을 만드는 것이다.

나는 아주 단순한 형태의 코드 진행만을 반복해서 만들어 내는 로파이(LOFI)라는 장르의 음악으로 내 첫 음악 커리어를 시작했다. 수없이 레이어드해서 만들어 낸 화성과 난해한 코드 진행, 복잡한 세션이 들어간 자본주의 음악에 경종을 울리겠다는 야망이 있었기 때문이다. (사실, 당시 내 실력으로 할 수 있는 건 단순한 루프를 반복해서 만드는 로파이 장르밖에 없었다.)

한 가지 문제는 내 의지와는 상관없이 시간이 흐를수록 음악이 복잡해진다는 것이다. 초기에는 단순한 기타 리프를 반복해 곡을 만들었는데, 어느덧 브라스, 오케스트라와 특수효과까지 동원된 수십 개의 트랙이 돼버렸다. 점차 실력이 늘어나면서 다양한 음악적 시도를 했기 때문이다. 제한된 소스(Source)를 활용해 새로움을 추구하는 것이 아니라 최대한의 소스를 이용하여 수많은 변화를 만들어 내려는 노력으로 방향이 바뀐 것이다. 어떻게 보면 지루할 정도로 단순했던 음악은, 모든 초마다 리듬과 악기의 변화를 통해 처음부터 끝까지 가득 채워진 음악이 되어 버렸다.

가장 큰 문제는 갈수록 음악 장비가 쌓여서 결국에는 걷잡을 수 없게 되어 버린 것이다. '음, 이건 이 곡에 필요하니까, 이런 장르에는 이런 악기가 제격이지' 하는 식으로 하나둘씩 장비를 구입했다. 그러다 보니 작은 불씨가 걷잡을 수 없이 커져 어느새 초원을 집어삼켜 버리듯, 기타를 처분하면서 생긴 공간을 또 다른 장비들이 차지해 버렸다. 헤드폰과 노트북 PC 한 대만으로 만들기 시작한 음악이 어느새 여러 종류의 기타 앰프와 이펙터, 마이크, 다양한 크기의 키보드 등 수많은 장비 속에 둘러싸여 작업을 하게 된 것이다.

'악기가 너무 많다'라고 인지하게 된 것은 '하드디스크 용량이 부족합니다'라는 PC 메시지를 확인하고 나서다. 초창기 10개 내외였던 가상 악기 등의 음악 플러그인 프로그램은 지금 수백 가지가 되어 하드디스크 용량이 부족해진 것이다. 비우고 단순함을 통해 세련된 음악을 하고자 시작했는데, 어떻게든 사운드의 작은 빈틈이라도 더욱 채우려는 욕심에 포박당한 나 자신을 발견한 것이다. 다양한 악기를 통해 보여주고 싶은 음악적 과시욕과 비어 있는 음악에 대한 두려움이 교차되어 지금과 같은 상황이 나타나게 된 것이리라. 이제는 음악적 외형이 아니라, 추구해야 하는 음악의 본질과 방향이라는 한층 근원적인 질문이 필요한 시기일 것이다.

작업실

맹렬히 록밴드를 하고 있던 이십대 초중반 무렵, 밴드 멤버 A씨의 집에 간 적이 있다. 그는 일반 오피스텔에서 자취를 하고 있었는데, 경찰이 집에 들이닥쳤다고 투덜거렸다. 택시 기사로 생계를 유지하고 있다는 윗집 아저씨가 잠을 못 자겠다고 자신을 경찰에 신고했단다. 나는 처음에 '아니, 젊은이들이 음악을 하다 보면 소음 좀 낼 수 있지. 요즘 인심이 삭막해졌군'이라는 생각을 품었는데, A씨의 행동을 보고 뒷걸음쳐서 구멍 속으로 숨어버리는 거북이마냥 그런 생각이 싹 사라져 버렸다.

A씨는 고막이 찢어질 정도로 시끄러운 헤비메탈 기타 연주를 틀어 놓고 전자 드럼의 더블베이스 페달을 신나게 밟고 있었다. 그는 세기가 바뀌면서 지옥문이 한 번 열렸다가 닫히면서 나는 소리를 내며, 마치 톨스토이가 고향집 골방에서 『전쟁과 평화』를 집필하는 듯한 심각한 표정을 짓고 있었다. 나는 순간 "야, 미친

놈아"라는 말이 튀어나왔다. '층간 소음으로 살인이 일어난다'라는 말이 온몸 깊숙이 와닿았다.

음악을 시작할 때 중요한 것은 음악을 할 수 있는 환경이 잘 준비되어 있는가이다. 제아무리 대단한 뮤지션이라도 잘 갖춰진 작업 환경이 아니면 제대로 된 음악을 만들기 쉽지 않다. 자고로 뮤지션이란 시도 때도 없이 음악을 듣고 소리를 내야 하는 직업이기에 충분한 방음 시설이 되어 있는 별도의 작업실이 필요하다. 에어로스미스의 기타리스트 조 페리는 앨범 작업을 위해 자신의 집 지하에 최신 레코딩 시스템을 구비한 홈 스튜디오를 구축해 놓았다. 존 레넌과 폴 매카트니 역시 자신의 집에 전용 홈 레코딩 스튜디오가 있었으며, 조지 해리슨이나 지미 페이지 또한 히트곡 대부분을 집에서 레코딩할 정도의 스튜디오 시스템을 갖춰 놓았다.

하지만 나같이 가난한 방구석 뮤지션들에게 전용 작업실이란 그야말로 꿈같은 얘기다. 작업실과 음악 장비라고 해봤자 마음껏 소리를 낼 수 있는 작은 공간과 컴퓨터 한 대와 질 좋은 스피커 한 쌍, 그리고 미디용 키보드 정도면 되겠지만, 이런 환경을 마련하려면 많은 돈이 든다.

내가 음악으로 버는 돈은 저작권 수익금과 음원 스

트리밍 수익금을 다 합쳐도 1년에 고작 몇 만 원 수준이기 때문에 음악으로 번 돈으로 작업실을 마련하기란 어림도 없는 일이다. 게다가 오히려 음악 장비를 구입하는 데 회사 월급을 쏟아붓고 있는지라, 나 같은 40대 가장이 아무런 수익을 가져다주지 못하는 음악에 더 큰 투자를 한다는 것은 무더운 아프리카에서 동계올림픽을 유치하기만큼이나 어려운 일이다.

따라서 자연스럽게 오직 노트북 컴퓨터와 모니터링 헤드폰만으로 음악을 만들게 되었다. 처음에는 더 좋은 환경에서 더 좋은 작품을 만들 수 있을 것이라 생각하여 불만이 많았는데, 시간이 흐르니 현재의 작업 환경에도 나름 만족하며 곡 작업을 하게 되었다. 매달 내야 하는 작업실 월세 걱정이 없고, 층간 소음에 대한 걱정도 없으며, 어디든 내가 가는 곳이 작업실이 되었다. 내가 지향하는 미니멀리스트의 신조에도 잘 맞아떨어졌다. 물론 헤드폰으로만 작업할 때 들리지 않는 소리의 영역대가 있기 마련이라 분명히 음향적 한계가 존재할 수밖에 없다. 전문 스튜디오에서 수천만 원에 달하는 스피커를 최소 두 조 이상 배치하고 작업해서 나오는 사운드와는 다를 수밖에 없지 않은가?

먼 훗날 내가 만든 음악이 빌보드 메인 싱글 차트

정상에 올라 지미 펄론의 〈더 투나잇 쇼〉에 출연해 "JUNE 53의 음악은 다소 다른 음원들에 비해 사운드가 떨어지던데요?"라는 질문을 받는다면 나는 이렇게 대답할 것이다.

"아티스트가 의도한 100퍼센트의 사운드입니다."

소통

어린 시절 스티븐 스필버그 감독의 영화 〈미지와의 조우〉를 인상 깊게 본 기억이 있다. 1977년에 발표된 이 영화는 외계인과의 접촉을 소재로 다루었는데, 외계인과 소통을 시도하는 장면이 꽤나 흥미로웠다. 사람들은 우주선을 향해 대형 스피커에 신시사이저를 연결해 5음계(시b-도-라b-라b-미b)를 연주한다. 잠시 침묵이 흐른 뒤 우주선은 낮은 음정으로 같은 음을 연주해 답신한다. 이후 인간과 외계인은 음악을 주고받으며 대화를 시작하는데, 이들의 대화는 마치 재즈의 화성처럼 점차 복잡하고 혼란스러운 즉흥 연주가 되어 버린다.

하지만 영화와 현실은 다르듯, 권위적인 천문학자들은 외계인과의 접촉을 강하게 경고하고 있다. 물리학자이자 세계적인 학술지 『네이처』와 과학 매체 『뉴 사이언티스트』의 편집장을 역임한 마크 뷰캐넌은 "일부 천문학자들은 우리 은하 너머의 외계인과 의사소통을 하고자 하는 인류의 집착, 외계인과의 접촉 등이 지구 상의 모든 생명의 종말을 초래할 수 있다"고 말했다. 외계지적생명체탐사(SETI) 소속 천문학자인 조 거츠 역시 뷰캐넌의 의견에 동의한다며 "외계인과 소통하려는 모든 시도가 궁극적으로 인류의 위험을 초래할 수 있다"면서 "국제사법재판소 등을 이용해 국가 차원에서 외계인과의 접촉 시도를 절대적으로 금지해야 한다"는 목소리를 냈다.

외계인과의 접촉을 피해야 하는 이유는 외계인이 지구 문명에 우호적이지 않을 가능성이 있기 때문이다. 외계인을 찾기 위해 지구에서 쏜 전파를 발견한 외계인이 잠시 지구에 들렀다가, '이런 미개한 족속들, 초전자 폭탄이나 먹어라!' 하며 한순간에 지구를 멸망시켜 버리는 것이다. 지구에 우호적인 몇몇 외계 문명이 존재한다 할지라도, 또 다른 외계 문명이 지구를 공격, 침략할 가능성이 있다.

자연, 사회 과학을 주제로 다루는 유명 유튜브 채널인 쿠르츠게작트는 외계인의 공격 문제를 심각하게 다룬 적이 있는데, 외계인이 지구를 공격하는 이유에 대해 이렇게 설명한다. "언어가 달라 의사소통이 어렵기 때문이다." 서로의 생각을 알 수 없고, 물리적 거리가 멀어 의사소통에 시간이 걸린다는 점은 우여곡절 끝에 만난 또 다른 우주 문명이 적대적인지 우호적인지 판단을 흐리게 한다. 따라서 가장 안전한 판단은 상대보다 먼저 공격해 상대 공격 능력을 무력화시켜 버리는 것이다. 다시 말해 소통의 부재가 우주 문명의 충돌을 불러일으킨다는 얘기다.

최근 회사에서 업무 중에 모르는 번호로 전화가 왔다. 곧 있으면 중요한 프로젝트 미팅이라 미팅 준비를 하고 있는데, 연이어 전화가 울려 받았더니 대뜸 이런 소리가 들렸다. "정수기 점검하러 가려는데 집에 계세요?" 나는 일정을 보고 "아, 수요일 정도가 좋을 거 같아요. 그때 제가 집에 있거든요"라고 답변했다. 그러더니 한참 후 다시 같은 번호로 전화가 왔다. "죄송한데 제가 일정이 안 돼서 목요일에 가면 안 될까요?" 이런식으로 전화를 주고받다가 최종적으로 금요일 오전에 방문하기로 조율이 됐다.

금요일 아침 아내를 직장에 픽업해 주고 집에 돌아오는 차 안에서 전화가 울렸다. 받아보니 그 정수기 직원이 "제가 오늘 방문한다고 했는데, 집에 안 계시네요?"라고 말했다. "아, 죄송합니다. 5분 이내로 도착합니다…"라고 정중히 사과했다. 집에 도착해서 한참을 기다려도 정수기 직원이 연락이 없자 전화로 물어보니 집 앞이라고 한다. 나는 아차 싶었다. "저… 죄송한데,

어디 찾으러 오시는 거죠?"라고 물었더니, 그는 엉뚱한 사람의 이름과 주소를 말했다. 엉뚱한 사람과 며칠 동안 이야기를 한 것이었다. 나는 순간 '아, 같은 언어로 소통도 이렇게 힘든데, 외계인과의 소통은 얼마나 힘든 것인가'라는 생각이 들었다. 진정성 있는 교감과 소통은 어떻게 보면 언어가 아닌 음악으로만 가능한 일인지도 모르겠다.

음악과 혁신

"음식을 남기시면 환경부담금 3,000원을 부과합니다."

우리가 뷔페나 무한 리필 음식점에서 흔히 볼 수 있는 문구다. '마음껏 먹는 것은 좋으나 남기지 마라'라는 뜻이다. 물론 법적인 근거나 효력은 없다. 마치 법으로 있는 것 같은 느낌을 주어 고객에게 심리적 압박을 주려는 의도다. 나 또한 이런 문구를 보면 '이 정도 남긴 것은 괜찮겠지'라는 생각이 들 때까지 허겁지겁 음식을 먹어 치우게 된다. 물론 지금까지 환경부담금을 징수하겠다는 수많은 식당을 가봤지만, 돈을 더 낸 적은 없다.

거리를 지나가다가 이런 문구를 내건 음식점을 봤다. "밥, 국, 반찬은 마음껏 먹어도 무료인데, 남기지 않으면 1,000원 더 할인?" 행동을 교정하려고 할 때 못하면 벌을 주겠다가 아닌, 잘하면 상을 주겠다라는 접근이다. 나는 주인장의 신선한 발상에 감탄하고 말았다.

생각해 보면 음악의 역사는 이런 새로운 발상으로 발전해 왔다. 1971년에 발매된 레드 제플린의 앨범은 그룹 이름과 타이틀을 모두 빼 버렸다. 표지에는 지게로 나무를 잔뜩 메고 있는 노인의 그림만 있을 뿐이었다. 앨범 발매 당시 레코드 가게에서는 레드 제플린의 앨범을 구매하려고 왔다가 표지만 보고 그냥 돌아가는 고객도 있었단다. 이런 시도는 밴드의 브랜드 인지도보다는 음악으로 대중 앞에 승부하겠다는 밴드의 의지를 보여준 것이다. 공식적으로 아무런 타이틀을 달지 않고 발매된 이 앨범은 이전 세 음반에 사용된 명칭 방식에 따라 '레드 제플린 IV'라고 불린다. 놀랍게도 이 앨범은 발표와 동시에 비평가들의 극찬과 함께 엄청난 상업적 성공을 거두며, 3,700만 장의 역사적인 판매량을 기록한다.

1990년 최고의 전성기에 있던 에어로스미스의 스티븐 타일러와 레이 타바노는 록스타의 상징인 가죽바지와 가죽 재킷을 벗어 버리고, 청바지와 티셔츠 차림으로 무대에 올랐다. 그들의 손에는 일렉기타 대신 통기타가 쥐어졌다. 헤비한 일렉기타, 빠르고 강한 드럼 사운드를 선보이는 록밴드에게 어쿠스틱 기타를 쥐여주면서 조용하고 차분한 라이브를 진행하게 한 MTV의

'MTV 언플러그드' 공연이었다. 이 프로그램은 록 음악의 시끄러움과 헤비한 면을 없애는 역발상적 사고를 통해 엄청난 인기를 끌었다. 유명 록밴드의 음악을 어쿠스틱으로 재편곡해 팬들로 하여금 자신이 좋아하는 뮤지션의 음악을 색다르게 접할 수 있는 계기를 만들었기 때문이다.

뉴욕에 거주하던 프로듀서 실비아 로빈슨은 세 명의 지역 청년을 모아 곡을 녹음했는데, 멜로디를 없애는 역발상을 하게 된다. 이 곡은 세계 최초로 레코딩된 랩 음악 〈Rapper's Delight〉였다. 이 곡을 기점으로 랩이라는 음악적 장르가 탄생하게 되었고 이는 대중음악사에 큰 발자취를 남긴다.

나는 집에 돌아와 어떻게 하면 음악적 혁신을 감행할 수 있을까 심각히 고민했다. 그리고 발매한 앨범이 바로 90년대 스타일의 전통 헤비메탈 앨범《The Gun From South》였다. 이전까지 앨범이 마음 편히 듣기 좋은 음악이었다면, 이번 앨범은 'JUNE 53'의 음악은 얌전하다라는 편견을 깨기 위한 스래쉬 메탈 콘셉트로 잡았다. 이 곡을 위해 극악무도한 샤우팅으로 유명한 메탈 보컬 MetalED에게 피처링까지 받았다.

그리고 앨범 발매 직후 평소와는 다를 것이라는 엄청난 기대를 가지고 음원 사이트 스트리밍 조회수를 살펴봤다. 조회수는 11명이었다. 내가 3번을 들었으니, 실제로 들은 사람은 고작 8명에 불과했다. 다음 날 확인해 보니 조회수는 '0'이었다. 나는 순간 깨달음이 있었는데, 바로 '유명하지 않으면 혁신도 없다'라는 것이었다. 혁신도 유명해지고 볼 일이다.

피아노

나는 이미 지나가 버린 것에 관해서는 좀처럼 후회를 하지 않는 편이다. 실수를 하거나 일이 잘못되어도 '아, 이렇게 됐나, 어쩔 수 없지' 하면서 그대로 인정하거나 수긍하곤 한다. 하지만 단 한 가지, 내 인생에서 후회하는 것이 있는데, 바로 피아노를 제대로 배우지 못한 것이다.

어머니는 피아노 선생님이셨다. 심지어 몇 년간 피아노 학원에 가서 피아노를 배운 적도 있다. 하지만 어느새인가 금방 시들해져 피아노를 그만두었다. 아마 컴퓨터 게임에만 몰두한 나머지 피아노에는 도통 흥미가 생기지 않았던 것 같다. 하지만 곡을 만드는 입장이 되어 보니 어린 시절 피아노를 제대로 배우지 않은 게 후회막급이다.

내가 다룰 수 있는 악기는 기타밖에 없으므로 거의 모든 것을 기타에 의존해 작곡을 한다. 하지만 기타로만 작곡을 하니 음악의 영역이 제한적일 수밖에 없다.

수많은 가상 악기를 구입해 사용했지만, 피아노를 모르니 제대로 된 코드 진행이라던가, 섬세한 연주가 불가능했다. 따라서 작곡을 시작한 이제야 피아노에 대한 절실한 목마름이 생겨 버린 것이다.

물론 음악을 시작한 처음부터 피아노를 잘하고 싶다고 생각한 것은 아니다. 록스타가 꿈이었던 내게 중요한 관심은 그저 얼마나 기타를 빠르고 멋지게 칠 수 있는가였다. 예컨대 메탈리카의 〈Master Of Puppets〉의 리프를 다운피킹으로 완주할 수 있는가, 또는 메가데스의 〈Tornado of Souls〉의 기타 솔로를 제대로 연주할 수 있는가 정도에 머물러 있었기 때문이었다.

피아노란 그저 잘 요리된 송아지 고기 위에 뿌려지는 파슬리 또는 피자 위의 파르메산 치즈와 같은 일종의 토핑 정도로만 생각했다. 심지어 피아노가 들어간 곡들은 대놓고 '이런 마시멜로처럼 말랑한 음악 따위를 하다니, 록 스피릿이 부족하군'이라는 생각도 했다. 내가 당시 듣던 음반들은 첫 곡부터 마지막까지 오직 기타 두 대와 베이스 기타 그리고 16비트 드럼이 질주하는 곡들이었다.

재미있는 것은 내가 멋있다고 생각한 록스타들은 모두 피아노를 멋지게 칠 수 있다는 점이다. 건즈 앤 로지스의 액슬 로즈는 피아노를 치며 〈November

Rain〉을 불렀고, 퀸의 프레디 머큐리는 〈Bohemian Rhapsody〉에서 멋진 피아노 전주를 연주했으며, 엑스 저팬의 요시키는 공연 중 근사한 피아노 솔로 퍼포먼스를 보였다. 프린스, 데이비드 보위, 심지어 스티븐 타일러도 무대에서 피아노를 쳤다. 아마 록스타라는 과격한 이미지의 뮤지션들이 피아노라는 섬세하고도 아름다운 선율의 악기를 연주하는 대조적인 이미지가 '멋있다'라는 느낌을 만든 것 같았다.

처음에 작곡할 때는 거의 모든 트랙을 기타만으로 만들었다. 하지만 시간이 흐르면서 작곡을 위해 다양한 음악을 레퍼런스로 듣게 되었는데, 음악에 관한 이해와 깊이가 생기자 다양한 음악을 받아들일 수 있는 수용성과 겸손함이 생겼다. 악기 사용에 대한 욕심도 커져서 매번 다양한 악기를 사용하려고 노력하고 있다. 최근 발매한《When Winter Comes》앨범은 처음부터 기타를 배제하고, 신시 사운드로만으로 스케치를 하고 곡의 마무리 작업 단계에 기타를 살짝 얹혀 색채만 입혔다. 요즘에는 신시사이저가 주 악기로 사용되는 신스팝 장르를 스케치 중에 있다. 물론 나는 피아노를 칠 줄 모르기 때문에 그저 소리가 나는 대로 건반을 누르고 좋은 소리가 날 때까지 무한정 수정하는 방식으로 만든다.

주물공장 노동자 출신 소설가 김동식은 문학 공부나 글쓰기 수업을 배운 적이 없었기에 거칠고 직접적이며 문학적 수사가 배제된 서사 중심의 글쓰기를 한다. 낮에는 일하고 밤에는 글을 쓰며, 인터넷 커뮤니티의 댓글을 스승으로 삼아 꾸준히 지속한 결과로 주류 문학의 영역에서 한참 벗어난 독특한 형식의 소설이 나올 수 있었다. 지금부터 내가 피아노를 연습한다고 해도 평생 빌리 조엘이나 엘튼 존처럼 피아노를 연주할 수 없을지도 모른다. 하지만 나만의 방식대로 쉼 없이 꾸준히 시도하면 소설가 김동식과 같은 나만의 독특한 음악이 만들어지지 않을까 생각해 본다.

뒤돌아보면 할 수 있는 것

몇 년 전 레트로 게임기를 한 대 구매했다. 80~90년대 오락실을 주름잡던 게임들로 구성된 게임기였다. 사두고서 한동안 잊고 있다가 어느 날 문득 생각이 나서 게임기를 집어 들었다. 전원을 켜고, 내 인생의 게임이라 할 수 있는 '스트리트 파이터 2'를 구동시켰다. '스트리트 파이터'는 1991년 당시 횡 스크롤 액션 게임(캐릭터가 좌에서 우로 이동하는 시점의 액션 게임)이 난무하던 아케이드 시장에 혜성처럼 나타나 대전형 액션 게임이라는 장르를 메인스트림으로 바꿔 버린 전설적인 게임이다. 당시 초등학생이었던 나는 거의 모든 용돈을 이 게임을 하는 데 소비했다. 돈이 떨어지면 온종일 오락실에 죽치고 앉아서 동네 형들이 하는 게임을 구경하며 머릿속으로 시뮬레이션하며 기량을 갈고닦았다.

그렇다고 게임을 잘한 것은 아니었다. 정말 잘하는 아이들은 일명 조작이 까다롭기로 유명한 3단 콤보(세

가지 기술을 연속해서 사용하는 것)나 누구나 쉽게 사용
하지 못하는 어려운 기술들을 자유자재로 쓸 수 있는
반면, 나는 고작 몇 가지 공격 패턴을 외워서 적당히
사용하는 수준이었다. 워낙 엉성한 실력 때문에 내가
게임기를 잡고 있으면 항상 모르는 동네 형들이 다가
와서 '음, 이번 스테이지는 상당히 어려운데, 내가 좀
도와줄게' 하면서 내 자리를 빼앗았다. 내 실력으로는
다음 스테이지까지 가는 것이 어렵다는 걸 알고 있기
에 '아, 저, 그럼 한 판만 이겨 줘' 하는 식으로 충실한
오락실 호구 역할을 하고 있었던 것이다.

  그런데 30년이라는 세월이 흘러 이 게임기를 다시
해보니 어린 시절에 했던 것보다 월등하게 실력이 향
상되어 있었다. 3단 콤보는 물론이고, 정식기술이 아닌
당시 프로그래밍 버그로 생겨 버린 히든 기술로 일명
'그림자 잡기'라는 기술(사용법이 너무 어려워서 상위 0.1
퍼센트만 사용했던 기술로, 기를 모은 후 상대와 펀치가 닿
을 정도의 가까운 거리에서 앞, 뒤, 커맨드를 입력하는 동시
에 강 킥과 강 펀치를 거의 동시에 누르되, 강 킥을 한 템포
일찍 눌러야 하는 극악무도한 난이도의 기술임)을 연속으
로 사용할 수 있었다. 아마 30년간 쌓아 온 오락 내공
이 한순간 폭발해 실력이 급상승해 버린 것 같았다.

  이와 아주 비슷한 경험을 최근 기타를 치다가 하게

됐다. 건즈 앤 로지스 1집에 수록된 독보적인 히트 싱글 〈Sweet Child O' Mind〉를 끝까지 완주하게 된 것이다. 이 곡은 내 삶에 아주 특별한 곡인데, 내가 기타를 잡고 처음 쳐본 것이 이 곡의 인트로 기타 리프였기 때문이다. 그 시절 너무 어려워서 감히 완주해볼 엄두도 안 났던 곡이라 한참을 연습하다 포기하고 말았다. 이 곡은 내가 성역의 반열에 올려 버렸고, 어느 순간 이 곡은 미완성인 채로 남겨두어야 한다고 생각을 했다. 마치 레오나르도 다빈치가 〈모나리자〉를 미완성으로 남겨두고 명작이라는 칭호를 받았듯, 카프카가 『변신』을 제외한 모든 장편소설을 미완성으로 남겨두고 실존주의 문학의 선구자로 칭송받았듯 말이다.

그저 이 곡을 들을 때, 웃통을 벗어 던지고 무대를 활보하던 청년 액슬 로즈(건즈 앤 로지스의 보컬로 날렵한 몸매로 유명했으나, 지금은 몸집이 비대한 비만 중년이 되었음)를 떠올리며 '음, 나도 한때 저런 시절이 있었지' 하는 추억에 젖어 들게 하는 그런 인생곡으로 기억 속에 남겨두고 싶었지, 이 곡을 마스터 해야겠다라는 생각을 차마 하지 못했던 것이다. 그런데 갑자기 이 곡이 치고 싶어서 연습을 했더니 몇 시간 만에 뚝딱 완주해 버린 것이다.

이전에는 못했는데 시간이 한참 흐르면 이상하게 잘

하게 되는 것들이 있다. 아마 삶의 성장이라는 과정이 그런 것 같다. 성장의 그래프는 1차 함수의 형태가 아니다. 마치 어느 순간 급속도로 올라가는 2차 함수와 같아서 매 순간 성실히 꾸준하게 하다 보면 자신도 모르게 폭발하는 내공을 얻게 되는 것이다. 이제 음악을 시작한 지 2년 차에 접어들었다. 계속 달리다 보면 마치 여유 있게 3단 콤보를 날리듯 수려한 코드 진행을 써 내려가지 않을까.

튜닝

어린 시절 부모님을 따라 오케스트라 공연을 종종 보러 다녔다. 클래식 음악회에서 날 설레게 했던 것은 그 어떠한 곡보다도 바로 공연 직전 짧게 이뤄지는 악기 튜닝 시간이었다. 먼저 오보에가 '라' 음을 조용히 불면, 이에 따라 나머지 현악기들이 일제히 '라' 음을 소리 내며 뒤따라 소리를 조율한다. 이때 들리는 모든 악기들이 '라' 음에 맞춰지는 소리는 그 어떠한 화음보다도 아름답다고 생각했다. '이제 공연이 시작한다'라는 신호를 쏘아 올리는 소리였으며, 동시에 연주에 대한 기대감을 주고 산만했던 공연장을 정돈하는 소리이기도 했다.

오케스트라의 오보에가 '라'를 부는 이유는 단순하면서도 명확하다. 사람이 가장 구분하기 쉬운 음이 바로 '라'이기 때문이다. 오보에가 가장 안정적인 진동수인 440헤르츠의 '라' 음을 불면 모든 악기는 이에 맞춰 자신의 음을 일치화시킨다. 참고로 전화기의 수화

음도 이런 원리에 따라 '라' 음에 맞춰져 있다.

그런데 왜 하필이면 오보에가 모든 악기를 맞추는 기준 악기가 되었을까? 먼저, 현악기는 습도에 민감하기 때문에 공연장 환경에 따라 음높이가 수시로 변한다. 따라서 기준 악기로는 적합하다고 볼 수 없다. 한편 금관악기는 세게 불 때 음정이 높아지는 경향이 있다. 또한 다른 악기들이 소리를 맞출 때까지 금관악기는 소리를 지속해서 내는 것이 힘들다는 단점이 있다. 목관악기 중 바순은 소리가 낮고 플루트는 소리가 퍼지는 성향이 있어 조율 음이 명확하게 들리지 않는다. 클라리넷이나 호른 같은 악기는 키를 많이 누르고 밸브를 많이 움직이기 때문에 음의 손실의 크다. 반면 오보에 소리는 다른 목관악기에 비해 떨림이 적고, 음이 쉽게 변하지 않으며 소리가 멀리 전달되는 특징이 있다. 즉, 연주 중에 갑자기 음조가 바뀔 가능성이 거의 없는 안정적인 소리를 내는 악기가 바로 오보에라는 것이다.

회사 프로젝트팀의 멤버로 차출되어 업무를 진행한 적이 있다. 다른 팀의 프로젝트였으나, 일손이 부족하다는 이유로 잠시 도와주기로 한 것이었다. 프로젝트 리더로 A부장이 결정됐다. 그는 멤버들을 모아놓고 고막이 울릴 것 같은 큰 목소리로 자신의 업무 경험에 대한 일장 연설을 했다. 프로젝트 주제와 맞지 않는, 마치 자신의 인생철학을 늘어놓는 듯한 내용을 한 시간가량 쏟아내며 "알았지?"라는 말을 남기고 사라졌다. 모두가 어리둥절했다. A부장이 나가고 그와 같은 팀의 B과장이 다시 프로젝트 업무에 대해 정의하고 방향성을 설명했다.

　B과장의 가이드대로 업무를 진행하고 있는데, 다음 날 등장한 A부장이 "아니, 왜 업무를 이렇게 하나?" 하며 멤버들을 질책했다. 그는 "아니, 그게 아니고"라며 말을 이어갔다. 우리는 A부장의 말을 경청하려고 귀를 쫑긋 세우고 있었는데, 그는 다시 자신의 인생철학과 수행했던 프로젝트 이력을 자랑하고는 사라져 버렸다. 마치 잘못된 음정으로 튜닝 된 악기로 오케스트라 연주를 하는 기분이 들었다. 기준이 되는 업무의 목표가 자주 흔들리는 까닭이었다.

　생각해 보면 비단 이런 업무의 수준을 떠나 우리 삶에도 튜닝이 필요한 것 같다. 삶의 기준점과 방향성이 없으면 아무리 대단한 성취를 이룰지라도 종국에는 크고 작은 문제가 생기기 때문이다. 모든 악기가 아무리 훌륭한 테크닉과 연주를 선사할지라도 튜닝이 되어 있지 않으면 한낱 불협화음에 불과한 것처럼 말이다. 내게 기준이 되는 삶의 오보에가 무엇인지 찾는 노력이 필요할 것이다.

프로

　책을 몇 권 출간한 이후 '아, 이제 작가가 되었구나'
라고 생각하게 된 것은 원고 청탁이 들어왔을 때다.
처음 청탁받은 원고는 한 대기업 사보에 실을 에세이
였다.

　어느 날 기업 사보를 만드는 에이전시의 편집장으로
부터 연락이 왔다. 미니멀 라이프라는 주제로 200자
원고지 10매 분량으로 작성해 달라는 요청이었다. 그
러고는 아무래도 깐깐한 기업이라 원고 수정이 여러
번 있을 수 있다는 말을 넌지시 던졌다. 글을 쓱 쓰고
서 '뭐, 이 정도면 되겠지' 싶어서 쓱 보냈는데, 실제
로 원고의 내용이라던가 방향성에 대한 여러 피드백을
받았고 몇 차례의 수정을 거쳐 힘들게 통과되었다. 당
시 기업의 홍보팀장은 '작가님, 이 내용은 좋은데, 이
쪽으로 좀 더 포커스 해주세요, 여기는 조금만 내용을
보강해 주세요'라는 식으로 많은 의견을 주었고, 나는
'아, 글로 밥 먹고 사는 게 쉽지 않구나'라는 생각이

들었다.

프로와 아마추어를 구분 짓는 기준은 명확하다. 프로는 돈을 받고 활동하며, 아마추어는 돈을 내고 활동한다. 프로는 돈을 받고 일을 하기 때문에 성과와 책임이 요구된다. 글을 쓰는 관점에서 프로 작가란 정해진 주제에 관해, 정해진 마감에, 정해진 분량을 작성할 수 있는 사람이다. 나는 계약한 단행본 원고가 10종이 넘어가는 시점에 '뭐, 이 정도면 프로 작가라 해도 손색이 없겠군'이라는 생각을 했는데, 여러 편집자들과 원고 작업을 함께하다 보니 어느새 출판사에서 원하는 방향과 주제에 따라 원고를 작성하는 역량이 생겨 버렸기 때문이다.

음악의 관점에서 보면 난 아직 아마추어 수준이다. 앨범을 19장 발매했지만, 음악으로는 돈을 벌지는 못하기 때문이다. 물론 저작권료와 실연자연합회 및 음원 스트리밍 회사에서 정산받은 소득이 있지만, 1년 수입을 다 합쳐 봐야 고작 10만 원가량이기 때문에 오히려 돈을 써가며 음악을 하고 있는 것이다. 매번 음악을 만들 때마다 필요한 악기와 레코딩 장비 구입, 플러그인 프로그램 설치, 세션 비용 등 오히려 엄청난 지출을 하고 있기 때문에 아직 프로의 길로 가려면 한참 멀었다는 생각이 든다.

최근에 곡 작업을 의뢰받았다. 악보를 한 장 던져주더니 곡을 만들어 달라고 했다. 처음 받아보는 음악 작업 의뢰였다. 교회에 사용될 어린이 찬양곡을 멋지게 만들어 달라는 것이 의뢰인의 주문이었다. 나는 선뜻 오케이가 떨어지지 않았지만 별다른 선택지가 없었다. 의뢰인이 친누나이기 때문이었다.

누나는 필리핀 선교사로 활동하고 있으면서 동요 작곡가로 다양한 어린이 음악을 발표했는데, 새로 발매할 앨범의 외주 제작비를 아끼고자, 모든 작업을 가내수공업으로 돌리기로 작정한 것이다. "네가 만든 곡은 한국 교회의 부흥과 필리핀 선교에 사용될 것이니 헌신하라"라는 누나의 말에 무보수로 곡 작업에 들어갔다. 남의 곡을 작업한 것에다, 찬양곡과 어린이 곡이라는 특수성이 있는 작업이다 보니 쉽지 않았다. 시스티나 성당의 천장화를 의뢰받고 6년간 허리가 꺾이는 듯한 고통을 감내하며 〈최후의 심판〉을 완성한 미켈란젤로의 심정을 이해할 수 있었다.

80년대 NBA를 주름잡던 농구 스타 줄리어스 어빙은 이런 말을 했다. "프로가 된다는 것은 당신이 하고 싶은 모든 일을 당신이 하고 싶지 않은 날에 하는 것을 말한다." 이런 측면에서 봤을 때 내가 진정한 프로 뮤지션의 길로 접어들기에는 아직 시간이 필요한 것 같다. 훈련을 통해 경영, 인문, 사회과학, 에세이, 소설 등 다양한 분야의 글을 쓸 수 있게 되었는데, 음악은 그렇지 않은 까닭이다. 아직은 하고 싶은 음악도 어려우니 말이다.

밥벌이

　어린 시절부터 록스타에 대한 로망이 있었던 나는 대학에 들어가자마자 밴드를 시작했다. 클럽에서 공연을 했고 멤버들과 틈틈이 데모 앨범을 만들었다. 그렇게 제작한 데모 테이프는 일부 레코드숍이나 우편 판매로 유통시켰고, 공연 때 무료로 배포하기도 했다. 자작곡이 모이자 인디 레이블을 통해 EP 앨범을 발매했다. 뮤직비디오는 물론이고, 제대로 된 프로모션도 당연히 없었다. 그런데 노래 한 곡이 인디음악 팬들 사이에 입소문 타기 시작했다. 그 노래는 각종 SNS에 포스팅됐고, 포털사이트 검색어에 오르더니 순식간에 EP 앨범이 완판되었다. 클럽 공연에는 연일 사람들로 가득 찼고 메이저 레코드사의 러브콜을 받고 계약을 맺었다. 곧 공식 데뷔 앨범이 나왔고, 시장은 폭발적으로 반응했다. 권위 있는 음악잡지에서 '올해 최고의 신인 밴드'로 선정되었으며, 평론가들의 호평이 쏟아졌다. 이제 클럽 공연이 아니라 전문 기획사 통해 전국

투어 공연을 진행하게 됐다. 타이틀 곡의 뮤직비디오를 찍게 됐고, 이 영상이 세계적으로 큰 인기를 얻어 빌보드 싱글 차트에 Top 20에 이름을 올렸다. 이를 계기로 NBC 〈엘렌 드제너러스 쇼〉에 출연하게 되면서 세계적인 인기를 끌었고, 1년간 남미에서 동유럽을 거쳐 아시아로 돌아오는 세계 투어 일정이 진행됐다.

물론 이것은 거짓말이다. 현실은 그렇게 호락호락하지 않다. 나는 음악으로 돈을 벌지 못하기 때문에 직장에서 회사원으로 일하고 있다.

장담컨대 대부분의 인디 뮤지션들의 삶은 음악을 시작하기 전과 크게 다르지 않을 것이다. 적어도 내가 아는 뮤지션들은 앨범과 공연 수입만으로 먹고사는 사람들이 아무도 없다. 악기나 보컬 레슨, 세션 연주, 또는 아예 음악과 무관한 직장에 다니거나 장사를 하는 사람도 부지기수다. 청년 시절에야 헝그리 정신과 열정으로 음악을 한다고 하지만, 나이가 지긋이 들어서 수입이 없다면 정말 곤란하다. 특히 록 음악을 하는 사람들은 더욱 불리하다. 미국이나 영국의 슈퍼 밴드 멤버들이 대저택에 살면서 스포츠카를 끌고 다니지만, 홍대의 허름한 지하 합주실에서 라면을 끓여 먹으며 작업하는 한국의 로커들 모습은 거의 숙명적이다.

음악인이 음악으로 먹고사는 게 힘든 이유는, 문학

인이 작품으로 먹고사는 게 어려운 이유와 비슷하다. 세계적인 베스트셀러 작가이자 밀리언셀러 『와일드』의 작가 셰릴 스트레이드 또한 소설만으로 밥벌이가 어렵기 때문에 학생들을 가르치고, 프리랜서 기자로 기사를 쓰거나 잡지에 에세이를 기고하며 근근이 먹고살았다고 말한 적이 있다. 작가들이 인세와 원고료, 드라마·영화 등의 2차 판권으로 먹고살 거 같지만, 실제로는 대부분 강연 수입에 의존해야 하는 것이 현실이다. 마찬가지로 뮤지션 또한 저작권 수익료로 먹고사는 것이 불가능하기 때문에 주된 수입원은 앨범 수입이 아니라, 공연 수입과 같은 부수입원이다. 코로나 팬데믹 때는 공연마저 금지되었으니, 수강생을 모집해서 레슨에 의존할 수밖에 없었다.

대학에서 학생들을 가르치다가 전업작가로 전향한 모리 히로시는 자신의 책 『작가의 수지』에서 기존의 생각과 발상을 뒤집는 흥미로운 말을 했다. 좋아하니까 쓴다는 사람은 열정이 식었을 때 슬럼프에 빠진다. 자랑할 만한 직업이라고 생각하는 사람은 비판과 비난을 받으면 의욕을 잃는다. 하지만 일이니까 쓴다는 사람은 슬럼프를 모른다. 글을 쓰면 쓴 만큼 돈을 벌 수 있다. 다시 말해, 감정적 동기만으로 버티면 언젠가 감정 때문에 글을 못 쓰게 된다는 말이다.

음악이 좋아서 음악을 시작했지만, 결국 음악으로 밥벌이를 하려면 어찌 됐건 음악을 일로써 접근하는 순간이 아닐까 생각이 든다.

고양이

알베르트 슈바이처는 비참한 삶에서 벗어날 수 있는 방법이 두 가지 있는데, 그것은 '고양이'와 '음악'이라는 말을 했다. 나는 고양이도 키우고 음악도 만들기 때문에 비참한 삶과 거리가 멀 것 같지만, 때로는 비참함에 준하는 곤경에 처할 때가 있다. 이를테면 아끼는 외투에 고양이가 오줌을 싸는 경우처럼 말이다. 아마도 슈바이처 박사의 외투에는 고양이가 오줌을 갈기지 않았나 보다.

'뭐, 고양이가 옷에 오줌 좀 쌌다고 그게 대수인가?'라고 생각하는 분들도 있을 테지만, 내게는 아주 심각한 문제다. 단순히 아끼는 옷이어서가 아니라 외투가 한 벌밖에 없기 때문이다. 미니멀리스트가 되겠다고 모든 옷을 처분한 이후로, 날씨가 쌀쌀한 봄과 겨울에는 항상 검정 가죽 패딩 점퍼만 입고 다녔는데, 고양이가 오줌을 싸버린 것이다. (참고로 1년에 5개월 정도는 이 옷만 입고 다녔다.) 점퍼 뒷면 가죽에 오줌이 흠뻑

스며들어 설거지통의 스펀지처럼 오줌을 가득 머금고 있었다.

　사실 고양이가 오줌 싸는 장면을 목격한 것은 아니다. 처음에는 강아지가 범인인 줄 알고 애꿎은 강아지만 혼을 냈다. 이제까지 고양이는 시계추처럼 항상 정해진 장소에서 정확히 오줌을 쌌기 때문에 방뇨 실수를 한다는 것을 전혀 상상하지 못했기 때문이다. 마치 빵 없는 샌드위치나, 목이 짧은 기린이나, 스트레스 없는 시댁을 상상하지 못하는 것처럼 말이다. 또한 강아지는 조금만 방심해도 여기저기 오줌을 지리고 있었기에 강아지가 범인이라고 확신할 수밖에 없었다.

　다음 날, 두 번째 오줌 테러가 있었다. 잠바 호주머니였다. 퇴근 후 잠시 소파에 걸쳐놓은 점퍼의 왼쪽 호주머니에서 물이 뚝뚝 떨어지길래 손을 넣어 봤더니, 오줌으로 흥건히 젖어 버린 휴지뭉치와 영수증 조각을 발견했다. 역시 강아지를 불러 야단을 쳤다. "세 번까지만 참는다. 한 번 더 싸면 혼구멍을 내줄 테다"라고 윽박질렀는데, 며칠 뒤 세 번째 오줌 테러를 당했다. 이번에는 스케일이 남달랐다. 마치 오레오 쿠키를 우유에 듬뿍 찍어 먹을 때의 느낌처럼 점퍼 안감이 온전히 오줌으로 적셔져 있었다. 나는 급격한 분노심에 휩싸여 강아지를 붙잡고 질책했다. 당장 내일 입고 나갈 옷이 없었기 때문이다. 주변 사람들에게는 조금 미안한 얘기지만 사실 이제까지는 티슈로 쓱 닦고 적당히 말려서 다시 입고 출근했다. 하지만 이번 건은 단순히 옷을 말려서 끝날 일이 아니었다. 세계의 끝, 점퍼의 종말이었다. 오줌으로 찌들 대로 찌든 점퍼는 더 이상 회생 불가능했다. '이봐, 난 여기까지야. 3년간 고마웠어. 다른 점퍼를 만나 행복한 삶을 찾기 바란다'라고 점퍼가 말하는 것 같았다.

  나는 마치 전장에서 부모를 잃은 고아의 심정으로 죽어 버린 점퍼를 한동안 손에 놓을 수 없었다. 그날 강아지가 먹고 있던 강아지 껌을 뺏어 버렸다. 강아지에게 한참을 훈육했다. 실컷 혼을 내고 나니, 식당에서 배가 불러 남기고 온 고기 한 점이 계속 떠오르듯 무엇인가 좀 찝찝했다. 생각해 보니 오줌량이 강아지가 쌌다고 하기에는 너무 많았다. 오줌을 지려도 찔끔 싸고 마는 작은 체구의 강아지였기 때문에 이 정도의 오줌량이라면 무엇인가 이상했다. 마치 알고 보니 범인은 바로 A였다라는 식의 반전으로 플롯을 뒤집어 버리는 추리소설의 한 장면처럼 '아! 범인은 고양이였군' 하는 생각이 스쳐 지나간 것이다.

  인터넷을 찾아보니 고양이도 어떤 불만이 있거나 스트레스를 받으면 예상치 못한 곳에 오줌을 싸서 주인을 당황하게 한다고 한다. 나는 스트레스를 완화시킬 목적으로 고양이에게 음악을 들려주었다. 뮤지션답게 음악으로 스트레스를 풀어 줘야겠다고 생각했다. 오스트리아 빈 수의과 대학의 동물행동 심리 연구학자 부브나 리티츠 박사의 제안에 따라 부드러운 비트의 클래식 음악을 들려줬다. '스트레스에는 역시 바로크 음악이지' 하며, 고양이를 앉혀 놓고 헨델의 오페라 곡과 바흐의 토카타와 푸가를 틀어 놨다.

헨델과 바흐의 힘 때문이었을까, 고양이는 더 이상 점퍼에 오줌을 싸지 않는다. 가죽점퍼는 처분했고, 새로 산 점퍼는 소파 위에 올려놓지 않고, 마치 심해에서 건져 올린 고대의 보물처럼 소중히 옷장 안에 집어넣어 보관하고 있다.

PS. 세계적인 록스타를 꿈꾸며, 길거리 공연으로 생계를 이어가던 인디 뮤지션 제임스 보웬은 거리에서 길고양이를 만나 동고동락한다. 그리고 우연히 고양이와 함께 찍힌 공연 사진이 SNS에 화제가 되며 단번에 스타덤에 오른다. 우리 집 고양이도 내 음악 생활에 보탬이 되기를 기대해 본다.

로파이 노동요

무더운 여름 오후, 브랜드 프랜차이즈 커피숍에 들어가서 아이스아메리카노와 초코퍼지 케이크를 주문한다. 커피는 샷을 추가한 큰 사이즈로 주문하고, 케이크는 적당히 데워 달라고 요청한다. 커피와 케이크를 들고 볕이 잘 드는 창가에 앉는다. 케이크를 포크로 자른다. 케이크는 마치 잘 달궈진 나이프로 버터를 자르듯 부드럽게 잘린다. 스트로우로 커피를 한 모금 마신다. 찰랑찰랑 얼음이 서로 부딪치는 소리가 난다. 작지만 아주 멋진 소리다. 이내 접시와 컵을 옆으로 치운다. 가방에서 두꺼운 교양 수업 교과서와 캠퍼스 노트를 꺼낸다. 이어폰을 귀에 꽂고, 플레이리스트를 살펴본다. 로파이 음악으로 유명한 JUNE 53의 《Spring Break》앨범을 반복해서 들으며 공부를 시작한다.

원시 부족들은 노동의 고된 시간을 자연스러운 시간의 흐름에서 벗어난 것으로 생각했다. 따라서 음악

을 통해 그 힘든 시간을 벗어나려고 했다. 음악 자체
가 노동의 과정과 직결되는 것은 아니었다. 음악은 단
조롭고 지루한 노동 과정에 기다림의 시간이라는 제
식적인 의미를 부여하거나, 노동 후 다가올 즐거운 시
간을 설렘과 기쁨으로 기다리게 해주는 일종의 자극
제 역할을 했다.

'현대판 노동요'라는 로파이 음악이 유행하고 있다.
과제를 하거나 공부할 때 로파이 음악을 틀어 놓고
반복되는 작업이나 지루한 공부에 숨을 돌리기 위함
이다.

로파이(LOFI)란 초고음질을 뜻하는 하이파이(HIFI)
의 반대말이다. 다시 말해, 음질이 떨어지는 음악이
라는 것이다. 음악이란 디지털 시대에 기술의 발전과
동시에 더욱 향상된 음질을 추구해야 할 것 같지만,
오히려 잡음이 들어가고, 음질이 떨어지며, 단순하며
정교하지 않은 음악이 각광을 받는 시대가 돌아온
것이다.

로파이 음악에는 기승전결이 없다. 반복되는 4마디
의 루프만 있을 뿐이다. 뚜렷한 가사도 없고, 두드러
진 멜로디나 과장된 악기의 사용도 없다. 그저 흐리멍
덩히 들리는 단순한 코드 진행을 백색소음처럼 듣고
있을 뿐이다. 일하거나 공부할 때 배경음악이 너무 자

극적이면 집중력이 흐트러진다. 라디오를 들을 때처럼 생각의 길이 다른 곳으로 샐 염려도 없고, 대중가요를 들을 때처럼 콧노래로 따라 부를 일도 없다.

로파이 음악이 온라인상에서 수백만 조회수를 기록하면서 이슈화되자, 나 또한 이런 흐름에 동승하고자 로파이 장르로 음악을 시작했다. 단순히 높은 스트리밍 조회수나 저작권료 등의 수입을 노리고 한 것은 아니다. 자고로 뮤지션이란 시대의 흐름을 읽고 그 시대의 정서를 음악으로 해석하고 반영하는 예술가이지 않은가?

사실 내가 로파이를 시작하게 된 것은 내 수준에서 당장 만들 수 있는 음악이 구조적으로 단순한 로파이 음악밖에 없었기 때문이다. 기타를 튕겨가며 적당히 4마디의 루프를 만들어 녹음하고, 여기에 그럴싸한 비트를 얹혀 놓는다. 필요하면 신시사이저로 양념을 살짝 쳐주고, 하이 음역대를 깎아 버리면, 로파이 음악 완성! (물론, 로파이 음악이 다른 음악에 비해 작곡이나 믹싱이 상대적으로 어렵지 않다는 것이지, 결코 만만한 음악은 아니다.)

집에 커피가 떨어져 테이크아웃 커피를 사러 동네 카페에 갔다. 카페에 들어서는데 막 공부를 끝마친 대학생이 휴대폰을 조작하며, 신중하게 곡을 선택하면서 자리에서 일어난다. 곧 커피잔을 정리하며 뒤돌아보지 않고 정문을 향해 발걸음을 옮긴다. 그는 아마 거리를 나서며 어깨 언저리에서 어렴풋하게 로파이 음악의 조용한 격려를 느끼고 있을 것이다.

  PS. 나는 학창 시절 공부할 때 주로 헤비메탈을 들었는데, 지금 생각해 보면 이게 공부를 못한 것과 상관관계가 있지 않나 싶다.

아이디어

　어니스트 헤밍웨이는 그의 에세이 『파리는 날마다 축제』에서 이런 말을 했다.

　"때때로 새로운 소설을 시작했는데 잘 나가지 않을 때가 있다. 그럴 때면 벽난로 앞에 앉아서 작은 오렌지 껍질을 쥐어짜 불길 언저리에 떨어뜨리며 푸른 불꽃이 타닥타닥 피어오르는 모습을 지켜보곤 한다. 그리고 일어서서 파리의 지붕 너머를 바라보며 생각한다. '걱정하지 마. 항상 글을 써왔으니 지금도 쓰게 될 거야. 그냥 진실한 문장 하나를 써 내려가기만 하면 돼. 내가 알고 있는 가장 진실한 문장이면 돼.' 그러면 마침내 진실한 문장을 하나 찾게 되고 거기서부터 시작해 다시 글을 써 나갈 수 있었다."

　다시 말해, 작지만 진솔한 한 마디의 문장을 찾으면 모든 실마리가 풀린다는 것이다.

　작곡을 하다 보면 악상에 대한 아이디어가 전혀 떠오르지 않거나, 어떤 식으로 곡을 시작할지 난관에 부딪칠 때가 있다. 어떤 코드 진행을 써야 할지, 곡의 기승전결은 어떻게 만들어야 할지, 어떤 악기로 시작을 해야 할지와 같은 고민들이다. 이럴 땐 소설을 쓸 때 진실한 문장 하나를 찾는 것이 그 시작점이라고 한 헤밍웨이의 말처럼 작곡에서도 진실한 한 마디의 멜로디가 해결의 실마리가 될 수 있다.

작곡 아이디어를 얻는 과정도 이와 다르지 않다. 아무리 유려하고 대단해 보이는 곡도 알고 보면 짧은 멜로디나 루프 같은 아주 작은 하나의 아이디어에서 시작한다.

2015년 삼성은 영화 〈더 롱 사이드 오브 라이트〉의 음악감독으로 잘 알려진 작곡가 제이미 크리스토퍼슨에게 곡 하나를 의뢰한다. 누구나 한 번쯤 지하철이나 버스에서 들어봤을 법한 삼성 휴대폰의 기본 벨 소리인 〈Over the Horizon〉이라는 곡의 새로운 편곡이었다. 제이미는 이렇게 말한다. "삼성 내게 준 것은 6개의 음표가 전부였다." 제이미는 이 음계를 가지고 영화 OST를 방불케 하는 아름다운 화성과 멜로디를 가진 오케스트라 버전의 〈Over the Horizon〉을 내놓고 세상의 찬사를 받는다. 우리가 눈여겨볼 것은 이와 같은 장엄한 오케스트라 곡의 시작도 처음에는 '도도솔도시솔'이라는 6개 음계에서 시작됐다는 사실이다.

그런데 문제는 이 작은 아이디어 하나를 얻는 것이 굉장히 어렵다는 것이다. 실제로 웬만한 문장가가 아니면, 헤밍웨이처럼 완벽한 문장으로 글을 시작하기란 매우 어렵다. 마찬가지로 작곡가에게도 귀에 박히는 멜로디나 짧은 루프를 만드는 게 그리 쉬운 일이 아니다. 하물며 나 같은 초보 작곡가가 이런 아이디어를 짜내는 것은 마치 친하지 않은 먼 친척에게 선물할 명절 선물을 고르는 것만큼이나 난처하고 어려운 일이다.

또한 이것은 마치 어셈블리 라인에서 만들어지는 제품과 같아서, 들어가는 원자재가 적으면 많은 양의 생산력을 기대할 수 없다. 다시 말해 많은 시도를 해봐야 많은 결과를 얻을 수 있다는 것이다. 그렇다면 이 문제를 어떻게 해결해야 하는가? 나는 무조건 많이 듣고 그대로 따라 해보는 방법밖에 없다고 생각한다.

작은 아이디어가 떠오르지 않아 어려움을 겪은 적이 있다. 그날도 여느 때처럼 누워서 기타를 치고 있는데, 아무리 쳐봐도 특출나게 좋게 들리는 멜로디나 코드 진행이 떠오르지 않는 것이다. 그렇게 기타를 치다 선잠에 빠졌고, 일어나서 음원 사이트에서 음악을 한 시간 정도 무작위로 듣던 중 갑자기 새로운 아이디어가 떠올랐다. 떠오른 멜로디를 가지고 1시간 만에 곡 스케치를 완성했다. 몇 시간을 누워서 빈둥거리며 시간을 보내도 아이디어가 나오지 않았는데, 스쳐 지나간 한 곡의 영감이 되어, 비슷하지만 전혀 다른 새로운 창작물이 탄생한 것이다.

송나라 시대의 문인 구양수는 글을 잘 쓰려면 삼다(三多)를 해야 한다고 했다. 다독(多讀), 다작(多作), 다상량(多商量)이다. 즉 많이 읽고, 많이 쓰며, 많이 생각하는 것이다. 나는 작곡을 하는 데도 같은 방식이 적용된다고 생각한다. 다만 다독(多讀)이 다청(多聽)으로 바뀔 뿐이다. 최대한 많이 듣고, 곡을 이해하고, 많이 작곡을 해보는 것이다. 이를 꾸준히 반복하다 보면 어느새 새로운 아이디어를 만들어 내는 힘을 얻게 된다.

믹싱

나에게는 필리핀에서 선교사로 있는 친누나가 한 명 있다. 누나는 동요 작곡가로 활동하고 있는데, 작곡가이긴 하지만 시퀀서 프로그램을 전혀 사용하지 못하기 때문에 주로 외주 업체를 통해 곡을 만들고 있다. 어느 날 자신이 만든 곡을 믹싱해 달라는 부탁을 받았다. 지인의 고등학생 아들이 자신의 곡을 편곡해서 만들었는데 한번 봐달라는 것이었다. 곡 제목은 〈땡큐 지저스〉라는 기독교 찬양곡이었다.

나는 곡을 들어 보고 큰 충격에 빠졌다. 편곡이 잘되었고 잘못되었고를 떠나, 일반인이 제대로 듣기 힘든 수준의 믹싱이었다. 많은 악기들이 서로 자기가 잘났다고 비명을 지르고 있는, 말 그대로 지옥에서 온 믹싱이었던 것이다. 얼마나 귀 아프던지 하늘에서 찬양을 듣던 예수님이 분노해 지옥을 쓸어버리고 세상을 심판하려 재림하실 수도 있겠다 싶은 생각이 들 정도로 형편없는 믹싱이었다.

1989년 미국의 파나마 침공 당시, 파나마 지도자 마누엘 노리에가가 델타포스를 피해 바티칸 대사관으로 도망치자 미군은 대사관 앞에 초대형 스피커를 설치했다. 그러고는 몇 날 며칠 쉬지 않고 건즈 앤 로지스의 〈Welcome to the Jungle〉과 더 클래시의 〈I Fought The Law〉를 틀어대 노리에가의 항복을 받아낸 적이 있다. 나는 이 그 고교생의 곡을 듣고서, 가까스로 바티칸 대사관까지 피신했지만 결국 제 발로 투항할 수밖에 없었던 노리에가의 심정을 이해하게 됐다.

결국 내가 이 곡을 다시 믹싱하고 마무리하게 됐다. 2분이 좀 넘는 이 곡의 트랙 수는 무려 100개로 믹싱을 끝내는 데 꼬박 일주일이 걸렸다. 보컬 트랙 또한 가관이었다. 음정과 박자 이탈은 기본이고, 소스를 듣고 있는 한국에서도 필리핀의 생생한 녹음 현장이 느껴질 정도로 엄청난 잡음이 섞여 있었다. 동네에서 노래 좀 한다는 현지인 안토니오 후안이 누군가 갖다 놓은 노래방 마이크로 주섬주섬 PC에 연결해 윈도우 녹음기로 '훗, 내가 노래 좀 하지' 하는 듯한 뉘앙스를 품기며 레코딩한 그런 느낌이었다.

나는 며칠 밤을 이 안토니오 후안(물론 가명이다)의 목소리를 마치 콜라주 작품을 만들 듯 정성스럽게 자르고 붙이고 늘리고 줄이고 하는 작업을 통해 죽어 있던 소스를 기적적으로 심폐소생시키고, 한편으로는 수십 가지의 전문 플러그인 프로그램을 통해 모든 트랙을 겨우 들을 수 있는 수준으로 믹싱했다. 사람이 들을 수 있는 수준이라는 것이지, 잘 믹싱했다는 것은 아니다. 물론 힘을 좀 더 냈으면 좀 더 좋은 믹싱을 할 수도 있었겠지만, 노리에가가 바티칸 대사관에 은신했던 기간만큼 믹싱을 하다 보니, 도무지 이 곡을 더는 들을 자신이 없었다.

음악의 3요소는 멜로디, 리듬, 화성이라고 학창 시절에 배웠다. 나는 여기에 '믹싱'이라는 한 가지 요소를 덧붙여 음악의 4요소라고 부르고 싶다. 적당한 밸런스를 유지해서 듣기 편하고 좋은 사운드를 만들어 내는 것이 중요하다고 생각하기 때문이다.

실제로 곡을 만드는 데 믹싱이 차지하는 비중은 모든 음악을 만드는 과정에서 70퍼센트 이상이다. 믹싱은 단순히 악기마다의 볼륨 조화뿐 아니라, 곡의 음색이나 곡에 사용된 악기가 활용한 이유를 생각해 보며 곡의 의도한 바를 성취해 가는 복잡한 작업이다. 작곡가의 철학과 음악적 방향성, 곡에 대한 해석을 모두 믹싱으로 녹여 낼 수 있기 때문이다. 〈땡큐 지저스〉 믹싱 사건은 내게 믹싱의 중요성을 다시 한번 절감하게 해준 중요한 계기였다.
오, 땡큐 지저스!

기타

1992년 건즈 앤 로지스의 도쿄 돔 라이브를 비디오 테이프로 처음 보았을 때, 기타리스트 슬래시의 더블 헤드 기타를 보고 감격했었다. 한쪽 헤드는 12현이고, 다른 하나는 일반적인 6현으로 구성된 깁슨 SG 기타였는데, 이것을 허리춤까지 늘여 매고서 번갈아 쳐대는 모습을 보고 '기타 장인이란 이런 것이군!'이라고 생각했다. 이때부터 머리가 2개 달린 기타 정도는 쳐야 '제대로 된 뮤지션'이라는 인식이 생겼는데, 어느 순간 보니 마이클 안젤로 바티오는 4 헤드의 기타를 양손으로 치고 있었고, 빌 베일리는 머리가 6개 달린 기타를 가지고 무대에 올랐다.

시간이 한참 흘러 자메이카에서 놀라운 뮤지션이 혜성처럼 등장했다. 이 뮤지션을 처음 알게 된 것은 유튜브 영상을 통해서였는데, 휴대폰 카메라로 적당히 찍은 듯한 저화질 영상 속에서 평범한 동네 흑인 청년이 구경꾼들 사이에서 고장 난 기타로 연주하며 노래하고 있었다. 딸랑 줄 1개만 간당간당하게 붙어 있는 고물 어쿠스틱 기타를 치면서 노래를 부르고 있었지만, 리듬감과 그루브가 범상치 않음을 깨닫기까지는 시간이 얼마 걸리지 않았다. 이 흑인 사내의 이름은 브러쉬 원 스트링이었다. 자세히 보니 화면 귀퉁이에 무려 'Official Video'라 쓰여 있었다. 심지어 그는 6개의 스튜디오 앨범을 보유하고 있는 프로 뮤지션이었다. 나는 놀랐다. 아니, 어떻게 이런 발상을 할 수 있을까?

그는 한 인터뷰에서 "침대 밑을 보니 줄 1개 달린 기타가 있었다"라고 담담하게 말했는데, 심지어 작곡을 위해 아무런 노력을 하지 않는다고 한다. 그저 일상의 삶에서 느낌들을 잘 모아 쓱 하고 곡으로 만들어 버리는 것이다. 숱한 뮤지션들이 음악적 영감을 얻기 위해 발버둥 치고 약물에까지 손을 대는 것과는 사뭇 다른 모습이다. (그는 레코드사와 계약하기 전까지 글을 읽지도 쓰지도 못했다.)

누군가는 "많으면 많을수록 좋다"라고들 한다. 한때는 17인조 빅밴드가 유행했던 적도 있었고, 무대에서 10~20명으로 구성된 아이돌팀을 보는 것도 어렵지 않다. 신시사이저의 스트링 사운드를 듣는 것과 제대로 갖춰진 오케스트라 실황을 듣는 것은 상당한 차이가 있고, 눈앞에 펼쳐지는 웅장한 무대를 바라보는 것도 나쁘지 않다.

하지만 음악이 주는 감동이 무엇이냐를 따져 본다면, 역시 음악 자체가 가지고 있는 본질적인 것을 생각하지 않을 수 없다. 나는 그것이 '영혼을 울리는 한 줄의 기타 소리'라고 생각한다. 실력을 과시하듯 어려운 화성과 세션이 들어간 연주를 시작부터 끝까지 퍼붓는 음악이 아니라, 수많은 쉼표 속에 단 하나의 음을 통해 여운을 주는 것. 이것이 바로 제대로 된 음악이자 뮤지션이 추구해야 할 정신 아닐까. 단 하나의 음표와 음정도 헛되게 사용하지 않고 의미 있게 가져가고자 한 브러쉬의 음악이 더 큰 가치와 매력으로 느껴지는 이유이기도 할 것이다.

좋은 음악

음악을 처음 만들기 시작했을 때 내가 만든 곡의 트랙 수는 많지 않았다. 드럼을 포함하여 모든 트랙을 합쳐도 10개에서 15개 남짓이었다. 물론 그만큼 편곡도 단순했고, 음악 장르로 상대적으로 단순한 음악을 했었기에 가능한 일이었다. 이후 다양한 음악을 시도하면서 트랙 수가 100개가 넘어가는 곡들이 넘쳐 났다. 사용하는 악기 수가 많다 보니 컴퓨터가 멈추는 현상도 자주 발생했다. 하나의 음을 만들기 위해 수많은 악기를 레이어드하여 사용했고, 수많은 플러그인 프로그램을 사용해 더 이상 원본 소스의 소리가 무엇인지 알 수 없을 정도로 사운드를 가공했다. 기업 입사 원서 서류에 붙여진 증명사진을 수없이 보정을 해, 막상 인터뷰 당일 면접관이 "어, 이거 ○○씨 사진이 맞나요?" 하고 반문할 정도 수준의 가공이었다. 발표한 곡들이 늘어나면서, '프로 뮤지션이라면 이 정도 트랙은 채워야 하지 않나?' 하는 음악적 허세 때문이었다.

사실 이렇게 복잡한 음악을 시도하게 된 데는 이유가 있다. 유명 프로듀서들의 곡을 듣다가 내 곡을 들어 보니 왠지 음악이 가난해 보였다. 마치 초등학교 친구가 "야, 니네 아빠 차 뭐야? 우리 집은 그랜저인데?"라고 물었을 때 "아, 우리 집은 르망(월드카를 표방하며 대우에서 야심 차게 제작한 자동차로 90년대 초를 주름잡고, 중소도시의 영세 택시회사에서 법인 택시로 많이 사용된 자동차)이야, 하하"라고 답변했을 때와 같은 생각이 들면서 음악에 대한 자신감이 떨어졌다. 이후 트랙 수를 계속 늘려갔는데, 한 트랙 한 트랙 쌓아 올릴 때마다 낮아진 자존감이 세워지는 느낌을 받았다. 그러다 보니 어느 순간 모든 마디에 빈틈없이 새로운 음들로 가득 채워 버린 것이다.

라디오에서 우연히 장기하의 EP 앨범 《공중부양》을 들었는데, 꽤 큰 충격으로 다가왔다. 나 또한 오랜 시간 다양한 음악을 들어왔다고 자부했는데 이 음악은 또 다른 차원의 음악이었다. 마치 비틀린 5차원 시공간에 살고 있는 새로운 지적 생물체가 만든 음악이랄까? 처음 들으면 "이게 뭐야?" 하는 말이 절로 튀어나올 정도로 현시대를 살아가는 지구인들이 쉽게 이해할 수 없는 음악을 장기하가 하고 있었던 것이다. 기존 장기하와 얼굴들에서 듣던 리드미컬한 꽉 찬 사운드를 바랐다면 오산이다. 일단 음악에 베이스가 없다. 마치 농구에서 센터가 가장 중심되듯, 미식축구에서 쿼터백이 중심이 되듯 음악의 중심을 잡고 진행을 이끄는 게 베이스의 역할인데 그 악기를 빼버렸다. 보컬의 베이스 영역 대를 좀 더 살리기 위해서라는 게 이유였다. 드럼 비트도 최소한으로 만들어 보컬 라인은 겨우 구현된 킥과 스네어 박자를 따라가고 있었다. 가사도 녹음기처럼 단순한 반복만이 이어졌다. 듣다 보면 마치 쇼펜하우어나 니체의 근대 회의주의 사상에 빠져 버릴 듯이 무엇인가 허무하고, 공허함이 느껴지면서 어느새 음악의 깊은 바다에 빠지게 되는 것이다. 나는 이 앨범을 통해 한 가지 깨달음을 얻었다. 복잡한 음악이 전부가 아니라는 것이다.

GE의 잭 웰치는 "불안해하는 경영자가 복잡함을 만든다. 그들은 단순해지면 멍청하게 보일 거라고 우려한다"고 말한 바 있다. 어쩌면 나는 부족한 음악 실력을 감추려고 복잡함을 추구했는지도 모르겠다.

프랑스 문학가 폴 발레리는 이런 말을 했다. "좋은 문체는 쓸모없는 것을 모조리 배제한다. 문체는 풍요 속의 긴축이다. 문체는 필요한 대목에서는 소비하고, 어떤 대목에서는 능숙하게 배열해 절약하며, 또 어떤 대목에서는 진리의 영광을 위해 자원을 아낌없이 쓴다. 문체의 역할은 스스로 빛나는 것이 아니라 재료를 돋보이게 하는 것이다. 그럴 때 문체 자체의 영광이 드러난다."

좋은 음악 역시 쓸모없는 음들을 배제해 버리는 것이다. 좋은 음악이란 자고로 불필요한 음들과 연주를 자제하고 꼭 필요한 음표와 악기로 구성된 음악이다. 사운드를 꽉꽉 채워 넣는 것보다 불필요한 사운드를 비워내는 일이 중요한 것이다. 그리고 이러한 작업을 꾸준히 하다 보면 결국 적재적소에 딱 필요한 만큼만 사운드를 배치하는 감각이 생기지 않을까?

피처링

힌두교에서 소고기를 먹는 것, 독일에서 나치를 언급하는 것, 그리스에서 손바닥을 펴 보이는 것만큼이나 금기되는 일이 있다. 바로 가족에게서, 특히 부부 사이에 운전 연수를 받는 것이다. 실제로 남편한테 운전 연수를 하다가 이혼 직전까지 갔다는 사례를 접할 수 있는데, 이는 남편과 아내가 서로 격식이 없는 관계이기 때문이다.

남편은 운전 강사보다 친절할 수 없다. 격식이 없는 관계에서는 예의의 장벽이 낮기 때문이다. 따라서 가르치거나 배우는 입장에서 받는 스트레스를 서로에게 감추지 않고 드러낸다. 이를 통해 극심한 갈등을 빚게 돼 관계성의 근본마저 흔들리게 되는 것이다.

초보운전자에게 도로란 거친 야생의 세계와 같아서, 조금이라도 초식동물과 같은 나약함을 보이면 다른 운전자에게 단숨에 잡아먹힌다. (물론 실제로 잡아먹힌다는 것은 아니고, 차선을 양보받지 못해 엉뚱한 길로 빠지거나, 목적지에 도달하는 시간이 급격히 늘어난다.) 따라서 부부는 이런 위험이 도사리고 있는 도로 위에서 생존을 위한 치열한 사투를 펼칠 수밖에 없는 것이다.

가족 사이에 하면 안 되는 것 중 한 가지를 더 추가하고 싶다. 바로 가족한테서 음원 피처링을 받는 것이다. 부부 사이에 피처링을 요구한다면 남편한테 운전 연수를 받는 상황만큼이나 관계가 악화될 수 있다.

피처링이란 원래 가수가 아닌 다른 가수가 해당 곡의 특정 부분을 불러주거나 악기를 연주해 주는 것을 말한다. 그리고 피처링은 서로 음악적 영향을 받은 아티스트가 서로의 친분으로 해주는 것이 관례였다. 비용이 없었다는 얘기다.

하지만 언제부터인가 대중의 명성을 얻은 아티스트에게 피처링을 시켜 해당 아티스트의 마케팅에 사용되는 사례가 빈번해지면서 피처링 비용도 급상승했다. 그래미 어워드에서 '베스트 랩 송'을 수상한 뮤지션 21 새비지의 피처링 비용은 최소 2억부터 시작되고, 소녀시대나 싸이 등 한국 아티스트들과도 여러 차례 협업 경험이 있는 유명 래퍼 스눕 독의 피처링 비용은 3억이 훌쩍 넘는다. 심지어 피처링 비용은 16마디 기준이라고 하니, 나처럼 가난한 인디 아티스트들이 제대로 된 피처링을 받는다는 것은 마치 스크루지 영감의 마음을 여는 것만큼이나 어려운 일인 것이다. (실제로 나는 여러 외주 보컬들과 곡 작업을 했는데, 훗날 금전적인 한계에 부딪히자 내가 직접 보컬까지 하게 되었다.)

이런 어려움을 타개하고자 아내한테 피처링을 부탁했다. 아내와 교제하던 청년 시절 함께 노래방을 간 적이 있는데 당시 자우림의 히트 송을 메들리로 부르는 아내를 보고 '어라, 노래를 좀 하는데?'라는 생각을 했던 까닭이다. 그런데 보컬 녹음에 들어간 순간 나는 '뭔가가 잘못됐다'라는 생각을 단박에 하게 됐다. 불과 몇 분 만에 아내의 보컬이 음정, 박자, 호흡, 발성 등 거의 모든 부분에서 음원으로 낼 수 있는 수준이 아님을 깨달았기 때문이다.

하지만 녹음을 중단할 수는 없었다. 아내에게 보컬 피처링을 승낙받기 위해 했던 온갖 아부와 심부름, 집 청소, 육아를 도맡아 해온 영겁의 시간들이 스쳐 지나갔기 때문이다. 나는 아내에게 고작 2마디, 4마디를 부르는 데 최소 20번 정도의 수정을 요구했다. "박자가 나갔어, 음정을 조금만 더 높게, 좀 더 밝은 톤으로, 끝 음이 흔들렸어." 계속된 요청에 아내의 인내심 또한 폭발하고 말았다. 결국 가정의 평화를 위해 적당한 수준에서 녹음을 마무리해야 했다.

가족으로 구성된 많은 밴드들이 가족 갈등으로 어

려움을 겪거나 해체의 수순을 밟아 왔다. 형제끼리 음악 활동을 펼쳐 온 잭슨 파이브는 유명세를 타자 수익 문제로 가족의 불화를 겪었다. 제2의 비틀스라고 불리는 밴드 오아시스의 노엘과 리암 갤러거 형제는 서로에게 소송을 걸 정도로 앙숙이 되었다. 영국의 전설적인 록그룹 킹크스의 데이비스 형제는 오아시스가 보여준 말싸움 수준의 갈등을 넘어서 주먹싸움도 서슴지 않을 정도로 관계가 무너졌다. 이러한 일화가 말해주듯, 가족끼리의 음악 작업은 가족에게 운전을 배우고 가르치는 것만큼 어려운 일인 것이다.

결과적으로 나는 외주 보컬의 피처링 비용보다 더 많은 돈을 써버렸다. 아내의 보컬을 보정하기 위해 오토튠, 보컬 이펙터 등 값비싼 음악 플러그인 프로그램을 대거 구입해야 했기 때문이다.

보컬 학원

신은 공평하다.

지미 헨드릭스에겐 천재적인 기타 실력을 주셨으나, 그를 너무 일찍 거둬 가셨다. 스티비 원더에게는 탁월한 음악 재능을 주셨지만, 시력을 가져가셨다. 마릴린 맨슨에겐 길쭉한 키를 주셨으나, 덤으로 길쭉한 얼굴을 주셨다. 액슬 로즈에게는 아름다운 외모를 주셨지만, 그것을 서른다섯 살 전후로 한정 지으셨다. 그리고 나에게는 글을 쓰는 재주와 음악을 만드는 재주를 모두 주셨지만, 개미 목소리와 같은 보컬을 주셨다. 그래서 보컬 학원에 등록했다. 노래를 못하기 때문이다.

나는 노래를 잘 부르지 못한다. 그럼에도 《Summer Ends and, Autumn Chill》 앨범에서 2곡을 직접 불렀다. 물론 노래를 잘 부르지 못하기 때문에 며칠 밤을 새워 가며 보컬 수정 작업을 했다. 음정 및 박자 보정 프로그램, 목소리 톤 보정 프로그램 등 음악 프로그램을 사용하여 보컬 트랙을 가공했다. 그러고 보니 성대만 내 것이고, 완전히 다른 사람의 목소리가 되어 버렸다. 이 앨범 발매 후 나는 동네 보컬 학원에 등록했다. 불안했기 때문이다.

우연히 내 음악을 유튜브에서 듣게 된 미국 MTV 관계자가 유통사에 내 연락처를 수소문해 내게 방송 섭외 의뢰를 한다. "이번 MTV 특집 방송으로 해외 인디 아티스트들이 출연하는 언플러그드 라이브를 기획했습니다. 특별 게스트로 린킨 파크, 핑크 플로이드가 함께 무대에 오르며, 코난 오브라이언와 믹 재거가 함께 프로그램 진행을 맡습니다. JUNE 53님의 음악에 큰 영감을 받아 한국 대표 인디 아티스트로 출연을 부탁드리오니 대표곡 2곡을 라이브로 준비해 주시기 바랍니다." 이런 요청을 받는다면, "아, 죄송하지만, 제가 라이브가 약해서 립싱크로 진행해도 되겠습니까?"라고 답변할 수는 없지 않은가.

사실 노래를 못하지만 그래도 보컬을 해야겠다고 결단한 이유는 단순히 곡만 만들어서는 음악으로 밥벌이하기 힘들다는 결론에 도달했기 때문이다. 방구석에서 음악만 만들다가는 아무리 곡을 만들어도 평생을 무명 뮤지션으로 살다 죽을 수 있겠다는 생각이 든 것이다. 따라서 방송에 출연해 노래도 부르고, 라이브도 해서 이름을 알려야겠다는 생각에 프로듀서에서

싱어송라이터로 전향하기로 다짐했고, 노래 실력을 향상시키기 위해 학원에 등록한 것이다. 나는 '내년 하반기 유희열의 스케치북에 출연'이라는 원대한 목표를 세우고 본격적인 보컬 연습에 돌입했다. (아쉽게도 '유희열의 스케치북'이 종영됨에 따라 이 목표는 이룰 수 없게 됐다.)

첫 보컬 수업 때 강사는 내게 아무 노래나 해보라고 했다. 노래 수준이 어떠한지 확인해 보겠다는 것이었다. 나는 자작곡을 대뜸 불렀고, 강사는 마치 TV에서 일기예보 중계하듯 무심하게 "노래에 밴딩과 바이브레이션이 전혀 없어서 초등학생이 동요를 부르는 수준입니다"라는 진단을 대뜸 내렸다. 그리고 다음과 같은 처방을 내렸다. "기본적으로 발성과 호흡도 전혀 되어 있지 않으니, 최소 3개월은 독하게 연습해야 합니다."

강사는 이어서 성대와 후두의 구조, 호흡의 원리, 상복부가 들숨에서 팽창되는 이유, 폐에서 나오는 기류가 성대를 진동하면서 소리를 내는 원리, 구강과 성대 주위의 인후강, 비강과 전두강에서 이뤄지는 공명에 관해 설명했다. 한 시간 동안 내장 기관에 대한 설명을 들으니 신체해부학을 공부하는 의대생의 마음을 헤아릴 수 있게 되었다.

앞으로 보컬 수업이 쉽지 않으리라는 것이 예상됐

다. 래퍼 에미넴이 주연으로 출연한 힙합 영화 〈8마일〉에 보면 이런 대사가 나온다. "꿈은 높은데 현실은 시궁창이야." 현재 나의 상황과 비슷하다는 생각을 한다. 꿈과 현실의 괴리감 속에 어떻게든 견뎌야 할 것이다. 주인공 래빗이 단 한 번의 기회도 놓치지 않도록 모든 게 완벽해질 때까지 실력을 갈고닦으며 준비함과 동시에 삶을 지탱할 수 있게 현실성을 지향한 것처럼 말이다.

비올라

비싼 바이올린을 도둑맞지 않는 방법은? 비올라 케이스에 넣어 둔다.

작곡가들이 비올라 파트에 가장 많이 쓰는 지시어 두 가지는? pp & PDP(pianissimo & Please Don't Play)

스커드(SCUD) 미사일과 비올라의 공통점은? 공격적이고 부정확하다.

비올라와 양파의 차이점은? 비올라는 두 동강을 내도 아무도 눈물을 흘리지 않는다.

위의 것들은 비올라 또는 비올리스트를 소재로 한 조크다. 인터넷에서 '비올라 조크'라고 검색하면 비올라에 관한 농담이 마치 90년대 '최불암 시리즈'만큼이나 많이 쏟아지는데, 무려 18세기부터 존재했던 꽤 유서 깊은 조크라고 한다.

비올라가 이처럼 경시 받는 악기가 된 데에는 몇 가

지 이유가 있다. 먼저 비올라는 오케스트라 곡 중 다른 현악기에 비해 상대적으로 연주 비중이 작아 존재감이 낮다. 또한 비올라는 앙상블에서 아직 초보자나 바이올린 연주에 특별한 재능이 없는 사람이나 연주하는 악기라는 인식 때문이다. 나는 실제로 이런 사례를 직접 경험했는데, 유년 시절 나와 함께 바이올린 교습을 받던 친구가 입시를 위해 비올라로 전향했다. 비인기 악기라 바이올린에 비해 입학이 수월하다는 것이 이유였다. 이런 전향이 가능한 건 비올라가 크기만 조금 더 클 뿐 연주 방법은 바이올린과 동일하기 때문이었다.

최근 나의 저작권료 수입과 음원 스트리밍 수익을 살펴보니 월평균 3,000원 정도가 통장에 찍히고 있다. 음악을 시작한 지 몇 해가 지났고 발표곡도 50곡에 달했지만, 실적으로 보자면 아직까진 별 볼 일 없는 인디 뮤지션이라 할 수 있겠다. 음악 차트 진입은커녕 유통사에서도 메인 화면에 걸어주기를 꺼려 하는 음악을 하고 있으니 수익이 없는 건 당연한 결과라고 생각한다. 물론 내가 만든 음악이 많은 이들의 사랑을 받을 만큼 대중적이지는 않다. 요즘 유행하는 힙합 음악도 아니고, 아이돌 스타일의 음악도 아니며, 신나는 댄스곡도 아니다. 그저 그때그때 상황에 따라 내가 시도하고 싶은 음악들을 만들었기 때문이다.

어느 스트리밍 서비스에서 분석한 음악 트렌드 리포트를 봤더니, 최근 6년간 인기를 끈 음악 장르는 댄스와 발라드라고 한다. 그리고 그 뒤를 힙합이 바짝 따라잡고 있었다. '음, 돈을 벌려면 신나는 댄스나 처절한 발라드를 만들면 되겠군' 하고 생각해 보지만, 도무지 내 감성과 음악 실력으로는 이런 음악을 만드는게 불가능했다. 어떻게 하면 대중적이고 인기 많은 음악을 만들 수 있을까 고민을 거듭하다가 문득 이런 생각이 들었다. '내 음악이 마치 대중음악계의 비올라 같은 존재가 아닌가. 댄스와 발라드가 판을 치는 음악계라는 오케스트라 속에서 비올라 같은 음악을 하고 있는 게 아닌가'라는 생각 말이다.

프랑스 낭만주의 시대의 작곡가이자 지휘자였던 엑토르 베를리오즈는 비올라를 아름답지만 부당하게 방치된 악기라고 생각해서 '오케스트라의 신데렐라'라고 불렀다. 그리고 이를 증명하기 위해 비올라 독주곡과 비올라를 위한 오케스트라 곡을 작곡해 대중에게 비올라의 아름다움을 알렸다. 우쿨렐레는 가증스러운 포르투갈의 악기라고 처음엔 조롱받았지만, 지금은 하와이안뿐 아니라 남녀노소를 불문하고 사랑받는 악기가 됐다. 다큐멘터리 영화가 개봉되어 큰 인기를 끌었던 록밴드 '퀸'도 당대에는 레드 제플린이나 핑크 플로이드에 못 미치는 하수 밴드로 취급받았다. 이런 면으로 볼 때, 내 음악도 현시대가 아닌 후대에 더욱 빛을 발하는 음악이 되지 않을까 위안해 본다.

PS. 지금 이 글은 윌리엄 월턴의 비올라협주곡을 들으면서 작성되었다.

노래와 감정

"로봇이야? AI가 노래하는 거 같잖아."

내 노래를 들은 아내의 반응이다.

"가요를 동요처럼 부르지 마세요. 감정을 넣어서 부르세요."

보컬 학원 강사한테 10개월 동안 들어온 말이다.

그동안 유명 아티스트의 꿈을 꾸며 비가 오나 눈이 오나 학원 연습실에 박혀 노래 연습을 했다. 물론 그동안 꽤 성과도 있었다. 100미터 달리기를 한 직후처럼 짧고 가빴던 호흡이 마치 거북이가 호흡하듯 길어졌다. 염소 울음소리처럼 처절하고 불규칙했던 바이브레이션도 공산품처럼 균일하고 정돈된 소리가 났다. 내 노래를 동요처럼 들리게 했던 주요 원인인 밴딩(노래 부를 때 음을 살짝 아래서부터 위로 처리하는 기교) 처리 문제도 시간이 지나면서 자연스럽게 구사할 수 있게 됐다. 2옥타브 도까지만 올라가도 삑사리가 난무하던 초기와는 다르게 현재는 2옥타브 파까지 음역대가 넓어진 것도 또 다른 성과였다. 하지만 마치 현대인들의 고질적인 질병인 만성피로, 위궤양, 복부비만처럼 나의 노래에서 정말 개선이 어려운 부분을 꼽자면 바로 '감정'이다.

내가 가진 장점 중 하나가 '감정 기복이 심하지 않다'라는 것이다. 이게 어느 정도인가 하면, 화를 낼 때도 '음, 이 정도 상황이면, 감정을 드러내서 화를 좀 내야겠군' 하는 판단을 하고, 상황을 지켜보면서 적절한 타이밍에 맞춰 화를 낸다. 기쁠 때도 마찬가지다. 예를 들면 예상치 못한 선물을 받았다고 하면, 대놓고 기쁨을 드러내기보다 '어떤 식으로 감사를 표현하는 게 좋을까'를 생각하고 나서, 과하지 않고 그렇다고 너무 심플하지도 않은 반응을 보여주려고 한다. 이를테면 활짝 웃으며 '바쁠 텐데 뭐 이런 것까지 다 준비했어? 정말 고맙다' 정도로 상대방에게 부담을 주지 않는 선에서 적정 수준의 리액션과 함께 아주 적당한 감사를 표하는 것이다.

감정 기복이 심하지 않다는 것은 사회생활을 하거나 인간관계를 유지할 때 꽤나 큰 장점으로 작용한다. 기분에 이끌려 태도가 나빠지는 경우도 없고, 특별한 상황에 처해도 예민을 떨거나 크게 스트레스를 받지 않기 때문이다. 하지만 꿈에도 몰랐다. 이것이 노래할 때 치명적인 단점으로 작용하리라는 것을.

감정이 일정하다는 것은 마치 양날의 칼, 빛과 그림자, 동전의 양면, 야누스의 얼굴과 같아서 노래 부를 때 치명적인 단점으로 작용한다. 잘 정제된 감정은 효율적이고 안정적이며 편리하다. 하지만 감정을 표현하는 노래에서 이것은 정서, 감성, 표현의 통제를 통해 그저 음표의 조합과 나열에 불과한 메마른 멜로디를 내뱉게 하는 것이다. 어떻게 보면 감정 표현의 시작이 바로 노래다.

우리는 기분이 좋으면 콧노래를 흥얼거린다. 일의 즐거움과 능률을 높이기 위해 노동요를 불렀고, 죽음 앞에서는 곡을 하기도 한다. 말로 벅찬 감정이 생길 땐 운율을 타게 되고 자연스럽게 몸이 움직인다. 즉, 자연스러운 감정의 변화에 의해 노래가 만들어지는 것이 순리인데, 절제된 감정에서 제대로 된 노래가 나올 리 없는 것이다.

노래에 감정이 너무 묻어 나오지 않자 보컬 강사는 다양한 방식으로 노래를 시켰다. "음, 살면서 눈물 날 정도로 슬픈 날이 한 번쯤 있었죠? 그때를 떠올려 보세요." "일 못하는 상사나 부하 직원을 보면 한숨 나오죠? 한숨 내뱉듯이 노래를 해보세요." "자, 주인공이 죽습니다. 영화에서 배우가 연기를 해보듯이 불러 보세요." 정말 다양한 상황을 떠오르게 하고, 혹독한 보컬 트레이닝을 받았지만, 시간이 지나도 큰 개선이 없었다.

그러던 어느 날, 강사는 내게 이런 말을 했다. "자, '없어도' 이 부분은 '헙써도'라고 부르세요, '필요해'는 '필효해'라고 부르세요, '알아줘'는 '할아줘' 이렇게 부르면 한숨 쉬는 것처럼 부르는 것 같죠?" 이렇게 발음 하나하나를 악보에 써주면서 노래를 불러 보라고 했다. 그랬더니 마치 마법과 같은 놀라운 효과가 나타났다. 원초의 대자연에서 감정의 싹트며, 영롱한 빛이 쏟아지는 기적을 체험한 것이다 '아니, 내게도 이런 감정이 있었다니!' 나 스스로도 놀랐고, 강사도 '그래, 좋아졌어요!' 하며 작은 모래 한줌처럼 발산된 감정의 일각을 보고 칭찬을 해줬다. 아직은 마치 데이터를 수집하고 학습해 감정을 갖게 된 AI 로봇이 '입꼬리가 위를 향해 있으니 행복한 감정이군' 하고 판단한 수준에 불과하지만 나는 내 안에 숨어 있던 작은 가능성을 확인할 수 있었다.

영국 소설가 E. M. 포스터는 이런 말을 했다. "감정이란 것은 끝이 없는 것인지도 모른다. 왜냐하면 감정은 표현하면 할수록 더욱 그것을 표현할 수밖에 없기 때문이다." 감정을 표현하는 방법을 기술적으로 배운 나지만, 나는 노래 부르는 것을 포기하지 않을 것이다. E. M 포스터의 말처럼 작은 감정의 표현이 결국 더 큰 감정의 표현을 가져올 것이라는 믿음이 있기 때문이다.

LP와 플레이리스트

    아내와 한가롭게 한남동을 거닐다 우연히 LP 음반 가게에 들어갔다. 가게 규모가 상당한 것에도 놀랐는데, 더욱 놀란 것은 젊은 청년들이 LP를 구매하기 위해 카운터 앞에 길게 줄 서 있는 모습이었다. 카운터 옆에는 또 다른 긴 줄이 있었는데, 자세히 보니 LP를 청음하고자 대기하고 있는 줄이었다. LP 진열장에 있던 음반들이 분명 올드팝과 전통 재즈 앨범이 대다수였는데, 이 젊은이들은 이 시대의 음악을 아는지 혹은 호기심 때문인지는 알 수는 없지만, 하나같이 신중하게 LP를 고른 후 청음용 턴테이블에 올려놓았다. 턴테이블 뚜껑을 열고, 턴테이블 바늘을 정성스럽게 레코드 홈에 맞춘 후 헤드폰에 귀를 기울이는 것이다.

    나와 아내도 호기심에 앨범 몇 장을 들고 와서 턴테이블에 올렸다. 나는 1979년에 발매된 카시오페아의 《Take Me》 앨범과 1984년에 발매된 프린스의 《Purple Rain》을, 아내는 얼스 윈드 앤 파이어가 1981년에 내놓은 《Raise!》 앨범과 마이클 잭슨의 《Thriller》를 골랐다. 우리는 각자 좋아하는 곡을 서너 개씩 선별해서 같이 들었다. 아내와 이렇게 단둘이 LP 앨범을, 그것도 순수하게 음악에만 집중해서 듣는 건 처음 있는 일이었는데, 생각해 보니 꽤나 운치 있는 음악 감상 방식이었다.

무엇보다 70년대와 80년대를 관통하는 LP 명반들이 랜덤으로 조합되어 재생되는 아날로그 방식의 이 플레이리스트는 그야말로 감동과 환희였다. LP판을 뒤집고 좋아하는 트랙을 찾아 바늘을 이리저리 움직이는 작업을 통해 만들어지는 플레이리스트는 스트리밍 서비스사가 추천하는 오늘날 플레이리스트와 비견할 바가 아니었다.

나는 이날 들은 앨범과 곡들이 최근 몇 년 사이에 들은 플레이리스트 중 단연 최고라고 생각했는데, 집에 돌아오는 길에 곰곰이 생각해 보니, 내가 들은 최악의 플레이리스트 또한 LP 앨범이었다. 이게 무엇인가 하니, 바로 1977년 미국항공우주국(NASA)이 제작한 LP 앨범이다.

NASA는 일찍이 외계인들을 위한 레코드를 제작한 적이 있다. 이 앨범은 일명 '골든레코드'(레코드가 금으로 도금되어 있다)로 알려져 있는데, 외계인에게 지구의 존재를 알리기 위해 특별히 제작된 앨범이다. 이 앨범은 보이저 1호와 2호에 실려 아직까지 우주를 떠돌고 있는데, 언제 마주칠지 모르는 외계인들이 이 앨범을 들어 볼 수 있도록 LP 플레이어 제작법까지 수록했다.

그렇다면 이 LP판에는 어떤 곡들이 실렸는가 하면, 지미 카터 대통령의 환영사, 바흐의 〈브란덴부르크 협주곡 제2번〉, 정체 모를 타악기 소리, 비와 천둥소리, 척 베리의 《Johnny B. Goode》, 나바호 원주민의 노래, 베토벤의 교향곡 제5번, 고래 울음소리, 불가리아 민요 같은 것들이다.

나는 이 앨범을 트랙 순서대로 들어 본 적이 있는데, 들어 보면 실제로 이 앨범이 인간을 위해 제작된 것이 아니라는 것을 알 수 있다. '이건, 완전 저세상, 아니 은하계에서나 들을 법한 플레이리스트다'라는 생각이 들 만큼 충격적인 선곡이었기 때문이다. 단언컨대 이 앨범을 꺼내서 눈을 감고 감상하는 사람은 지구에 없을 것이다.

이 앨범의 플레이리스트는 NASA 위원회에서 선정했다고 하는데, 플레이리스트를 작성한 핵심 인물은 바로 코넬대학교에 재직 중이었던 칼 세이건 박사다. 이 앨범에는 무한한 우주에서 지구를 찾는 방법, 우리가 표기한 거리의 측정 단위를 해석할 수 있는 방법 등도

담겨 있다.

나는 이것이 큰 실수라고 생각한다. 이 앨범을 듣고 분노한 외계인들이 레코드에 기록된 지구의 위치를 알아내 우주함대를 이끌고 쳐들어와 지구를 멸망시키려고 작정한다면 막을 길이 없기 때문이다. 만약 이러한 일이 실제로 벌어진다면, 나는 그 책임을 칼 세이건 박사에게 묻겠다.

PS. 최근 보이저 프로젝트 40주년을 맞아 골든레코드 지구인 에디션이 발매되었다. 궁금하신 분들은 들어 보시길.

레트로 게임과 음악

요즘 레트로 비디오 게임에 푹 빠져 있다. 그냥 컴퓨터 에뮬레이터(컴퓨터에서 레트로 게임을 구동시킬 수 있게 하는 프로그램)로 게임을 하는 게 아니라, 90년대 초반에 생산된 소니 브라운관 TV와 80년대 제작된 닌텐도 게임기를 안테나 선으로 연결하고, 게임팩을 게임기에 꽂아 TV 채널을 돌려서 비디오 화면을 맞춘 다음 게임을 구동시키는, 요컨대 제대로 된 방식으로 레트로 게임을 즐기는 것이다. 레트로 게임 장비를 장만하기 위해 악기 일부를 팔아 버릴 정도로 레트로 게임에 진심이었다. 사실 게임성으로 볼 때 레트로 게임은 그다지 훌륭한 편은 아니다. 한번 캐릭터가 죽으면 처음부터 다시 시작해야 하는 불편함과 플레이어에 대한 고려가 전혀 없는 극악의 난이도, 낮은 퀄리티의 도트 그래픽 등 지금 시대의 잣대로 보자면 레트로 게임은 요즘 게임에 비해 부족함이 많다.

그런데 내가 왜 이런 레트로 게임에 푹 빠졌는가 하

면 바로 게임의 배경음악 때문이다. 80년대에서 90년대에 걸쳐 만들어진 게임 음악들은 놀라울 정도로 창의적이고 완성도가 높다. 한번 들으면 귓가에 계속 맴도는 멜로디는 요즘 후크송에 버금갈 정도로 중독성이 강하다. 최근에는 1985년에 발매된 슈퍼마리오 게임을 플레이하고 있다. 이 게임을 즐겨하는 이유는 역시 배경음악이 너무 훌륭하기 때문이다. 각 스테이지의 배경음악들은 마치 몸에 꼭 맞는 고급 캐시미어 스웨터를 입은 듯 게임과 완벽히 조화를 이루며 플레이어가 게임에 완벽히 몰입할 수 있게 한다. 캐릭터가 처한 상황에 따라 변주되는 주제 테마의 멜로디들은 조지 윈스턴의 〈캐논 변주곡〉을 능가하는 편곡의 절정이라는 생각이 든다.

'어떻게 이 당시에 이런 음악을 만들 수 있었지?' 하는 의문이 사라지질 않고 있었는데, 우연히 슈퍼마리오의 음악을 작곡한 게임 음악 작곡가 콘도 코지의 인터뷰를 보게 됐다. 그는 이렇게 증언했다. "당시(1985년) 패미컴(닌텐도에서 개발한 8비트 게임기 이름)은 오직 세 개의 음만을 들려줄 수 있고, 아주 제한된 음악 저장공간을 갖고 있었죠. 그래서 그 당시엔 제한된 음만을 갖고 수많은 조합을 만들어 게이머에게 각인시켜야 했습니다." 당시 개발 환경을 들여다보면 게임 소프트 용량이 50킬로바이트 전후였다. (이게 얼마나 적은 용량인가 하면 파워포인트 파일을 열어 아무것도 작성하지 않고 저장만 했을 때 용량이 30킬로바이트다.) 이 용량 중에서도 그래픽과 코딩이 더 높은 우선순위를 가졌기 때문에 사운드에 할당된 부분은 극히 일부에 지나지 않았다. 결국 게임 음악 작곡가는 제한된 리소스를 최대한 활용하기 위해 창의성을 극대화시킬 수밖에 없었던 것이다.

게임 음악이라는 개념 자체가 흔치 않았던 시절, 슈퍼마리오의 배경음악은 대략 1분 남짓의 짧은 루프를 갖고 있으면서도 게임의 몰입을 높이기 위해 각 스테이지마다 분위기에 맞는 다양한 장르의 음악을 표현했다. 다시 말해, 제한된 리소스를 최대한 짜내어 최대한 표현한 음악의 정수가 바로 레트로 게임 음악이라는 것이다.

이제는 하드웨어의 발달로 게임기는 더욱 풍성한 소리를 표현하게 되었고, 미디 음악을 넘어서 오케스트라로 편곡된 게임 음악을 듣는 것도 어렵지 않다. 제대로 갖춰진 장비로 만들어진 게임 음악은 이제 웬만한 영화 OST보다 수준 높은 음악을 들려주게 되었다. 하지만 요즘 게임의 배경음악을 기억하는 사람은 많지 않을 것이다. 기술의 발전의 음악의 본질을 흐린 까닭이다.

콘도 코지는 인터뷰 말미에 이런 말을 한다. "음악을 만드는 궁극적인 목표, 또는 적어도 주요 목표 중 하나는 기억에 남을 멜로디를 만드는 것입니다. 그리고 기술력은 이 목표의 달성과는 무관합니다."

우리는 한층 더 수준 높은 사운드를 만들 수 있는 더 많은 도구와 기술을 보유하게 됐지만, 결국 이것이 음악의 핵심이 될 수는 없을 것이다. 오늘도 레트로 게임을 하며 음악의 본질에 관해 생각해 본다.

소리의 길

    2011년 남극에 서식하는 황제펭귄이 길을 잃어 남극으로부터 무려 6,300킬로미터나 떨어진 뉴질랜드 북섬 카피티 해변에서 발견된 사건이 있었다. 전문가들은 생후 10개월 된 이 황제펭귄이 먹이를 찾기 위해 헤엄치다 길을 잘못 든 것으로 추측했다. 펭귄의 헤엄치는 속도가 시속 24킬로미터임을 감안하면, 최소 한 달 이상을 헤엄쳐 온 셈이다. 동물 중에도 유독 길에 대한 감각이 둔한 개체가 있는 것이다.

    이 기사를 아직도 기억하는 것은 내가 지독한 방향치이기 때문이다. 조금 과장하자면 내비게이션을 켜고도 길을 잃어버리는 횟수는 부화한 개복치의 알처럼 많고, 20년 살아온 동네에서도 방향을 잃어버린 적은 마이클 잭슨의 1992년도 루마니아 부쿠레슈티 콘서트를 보려고 몰린 관객처럼 많았으며, 심지어 게임을 하다가도 게임 속에서 길을 잃어버려 게임기를 집어 던진 적도 있을 정도의 심각한 방향치인 것이다.

보컬 학원을 다닌 지 꽤 오랜 시간이 지났지만, 아직까지 제대로 된 소리를 쉽게 내지 못한다. 보컬 강사는 내가 한 마디 한 마디 소리를 낼 때마다 이렇게 외쳤다. "다시! 다시! 땡! 땡! 땡! 아냐 틀렸어! 다시!" 내가 소리를 내는 방식이 틀렸다는 것이다. 그는 마치 영화 〈위플래쉬〉에 나오는 폭군 지휘자 플레처 교수를 연상케 했다.

플레처 교수는 주인공 드러머의 박자가 맞지 않는다고 "템포가 안 맞아!"라고 소리를 지르며 폭언과 학대를 일삼았는데, 보컬 강사는 내가 불과 16마디밖에 부르지 않을 동안 아침의 탁상시계 알람보다도 많은 "땡!"을 연신 외쳐댔다. 아무리 '땡'을 외쳐도 소리 교정이 되지 않자 강사는 이런 말을 했다. "지금, 소리가 길을 잃었어요. 소리는 내지르는 게 아니고 뒤로 당기는 겁니다. 소리가 머리 뒤로 움직여서 정수리로 빠져서 나간다고 생각해 보세요. 곧게 직선으로 뻗는 소리가 좋은 소리일 것 같지만 사실 그렇지 않습니다. 좋은 소리는 뒤에서 나는 소리예요. 계속 소리를 내보면서 소리가 나가는 길을 찾아야 합니다. 이걸 알아내는 방법은 본인이 계속 소리를 내보고 올바른 방향을 찾는 수밖에 없어요."

'음, 길치는 소리가 나오는 길도 잃어버리고 헤매고

마는 건가?' 하는 생각이 들자 마치 뉴질랜드 카피티 모래 해변에 홀로 남겨진 황제펭귄의 심정을 이해할 수 있게 됐다.

그러고 보면 소리는 삶을 닮았다. 삶은 저마다의 길을 찾는 과정이기 때문이다. 그 과정은 결코 순탄치 않다. 넘어지기도 하고, 부딪히기도 하고, 방황하기도 한다. 길을 찾는 것이 더욱 어려운 건, 이것이 마치 상상 속에 존재하는 유니콘처럼 실체가 보이지 않기 때문이다. 거울에 비친 물체의 상이나 물속에 비친 달이 실체가 아닌 것처럼 삶의 길은 실체가 없다. 소리도 마찬가지다. 삶의 길을 인생 선배들이 가이드를 해줄 수는 있지만, 결국 자신의 삶은 자신이 개척해야 한다. "자, 혀뿌리를 붙여서 목구멍을 넓히고 공기가 들어갈 수 있는 통로를 크게 만들어 주세요. 그리고 소리를 뒤로 보내서, 정확히 뒤쪽 대각선 위 정수리 쪽으로 나오게 해보세요." 학원 강사는 소리가 나가는 방향을 명확히 제시해 줬다. 하지만 그 길을 찾아가는 여정은 누군가 대신 해주거나 같이 가줄 수 없는 길이다. 오직 혼자만 가야 하는 길이며, 수많은 시간과 노력을 들여야 그 길이 어디인지 알 수 있다.

아프리카 스와힐리어 속담에는 이런 말이 있다고 한다. "길을 잃는 것은 길을 찾는 한 가지 방법이다." 수

많은 착오와 실패가 결국 옳은 길로 인도한다는 의미일 것이다. 나는 아직 소리의 길을 잃고 헤매고 있지만, 조급해하지 않기로 했다. 쉽게 가는 길보다 길을 잃은 후 찾았을 때의 기쁨이 더 크지 않겠는가? 그 기쁨을 위해 일부러 길을 잃거나 돌아갈 필요는 없겠지만 말이다.

보이지 않는 음악

파이프 오르간은 웅장하면서도 고전적이고, 독특한 음색과 아름다운 모양새 덕분에 여전히 많은 사랑을 받고 있는 악기 가운데 하나다. 사람들은 소리뿐 아니라 파이프 오르간의 거대한 크기에 압도되는데, 사실 객석에서 보이는 파이프들은 빙산의 일각에 불과하다. 몇 배나 많은 파이프와 구조물들이 숨어 있다. 적게는 수십 개에서 수천 개에 이르는 파이프들이 보이지 않는 곳에 음계에 따라 배열되어 있는 것이다.

음악을 만드는 과정은 바로 이 파이프 오르간과 비슷한 구석이 있다. 눈에 보이는 것들보다 보이지 않는 수많은 작업이 뒤따르기 때문이다. 그 과정은 기타를 치며 친구들과 포테이토 칩을 먹고 농담을 주고받으며 낄낄거리는 즐거움과는 거리가 멀다. 그저 깊은 산속에서 고행하는 늙은 수행승과 같은 고단함과 외로움이 있을 뿐이다. 곡 만드는 과정 중 작곡은 작은 프로세스의 일부에 지나지 않는다. 나머지 과정은 수면 아래서 진행되는 수정 작업의 연속이다.

글 쓰는 것에 비유하자면 작곡 단계는 이제 겨우 완성된 초고에 불과하다. 초고는 미완성의 결점이 많은 글로, 『인간과 초인』으로 노벨문학상을 수상한 조지 버나드 쇼도 자신의 초고를 일곱 번 수정했다고 한다. 책을 쓸 때 퇴고 과정은 매우 중요하다. 퇴고를 어떻게 하느냐에 따라 원고가 완전히 달라질 수 있고, 형편없었던 초고가 출판사에서 탐낼 만한 원고로 탈바꿈할 수 있다.

음악에서도 마찬가지로 이제 막 작곡된 곡의 퀄리티는 음원으로 낼 수 없을 정도로 형편없다. 따라서 편곡과 믹싱을 통해 음표에 숨결을 생생하게 불어넣는 과정이 필요한 것이다. 그리고 퇴고에는 항상 많은 정성을 쏟아야 하듯 편곡과 믹싱에도 막대한 시간을 들일 수밖에 없다.

'편곡과 믹싱 중 어느 것이 더 중요한가'라고 묻는다면, 단언컨대 믹싱 쪽이다. 비중으로 보자면 편곡과 믹싱은 3 대 7 정도의 비율로 중요하다. 루트비히 비트겐슈타인은 "내 언어의 한계가 내 세계의 한계"라고 말했는데, 나는 이 말을 빌려 이렇게 말하고 싶다. "내 믹싱의 한계가 내 음악의 한계"라고 말이다. 그만큼 믹싱이 잘되어야 듣기 편한 사운드가 만들어지고, 곡이

의도한 바를 잘 표현할 수 있다.

예컨대 상대적으로 트랙 수가 적은 로파이 음악 앨범이었던 《April Fool》 앨범 작업 때도 기타 녹음에 할애한 시간의 10배 이상을 녹음된 트랙의 믹싱 작업에 투자했다. 녹음된 기타 소리에 잡음이 있는지, 또는 귀가 거슬리는 음역대의 소리가 있는지, 소리가 다른 악기와 균형이 맞는지 등을 확인하고 수정할 부분이 있으면 다양한 프로그램을 사용해 소리를 교정한다. 음악의 분위기에 맞게 기타 톤을 수정하거나 보완하고, 리버브나 딜레이 등 다양한 효과를 적용해 한결 생동감 있는 사운드를 만들어 낸다. 이런 작업을 마음에 들 때까지 계속 반복해서 들어 보고 수정을 하는 것이다. 이 앨범에서 한 곡에 사용된 트랙 수가 60트랙 정도이니, 이 과정을 최소 60번 이상 반복하게 되는 것이다.

이제 막 작곡한 곡은 아침에 적당히 깎아 먹는 사과와도 같다. 바쁜 아침에 시간을 들여 완벽하게 사과를 깎는 사람은 없다. 그저 쓱쓱 잘라 베어 먹고 만다. 신선하지만 완벽성이 떨어지는 것이다. 하지만 편곡을 지나 믹싱에 다다르면 여기서부터는 이야기가 달라진다. 첫 음의 시작부터 곡의 마지막 한 음이 공기에 빨려 들어가 사라질까 말까 할 때까지 모든 순간에 귀를 기울여 집중해야 한다. 정성스럽고 신중하게 과일 껍질을 벗겨 기품 있는 접시에 기품 있게 플레이팅을 하듯 온 힘을 다해야 한다.

다시 파이프 오르간 이야기로 돌아가 보자. 천문학자 칼 세이건은 우주의 소리를 오르간 소리와도 같다고 했으며, 모차르트는 오르간을 악기의 제왕이라고 칭하며 오케스트라와 대적할 수 있는 유일한 악기라고 했다. 파이프 오르간의 웅장함과 음색의 범위, 장대한 선율 때문이다. 하지만 이런 오르간의 음을 발산하는 것은 겉으로 보이는 건반과 파이프가 아니다. 그 이면에 있는 공기압축기, 송풍장치, 밸브 등 구조적으로 매우 정밀하고 복잡한 내부의 수많은 부품과 장치들이 조직적으로 움직여 소리를 만들어 내는 것이다. 우리는 새로운 음반이 발매되면 버튼 하나만 조작해 음악을 듣지만, 그 소리를 만들기 위해 각고의 노력을 기울인 아티스트의 노고를 기억해야 할 것이다.

재평가

　창작가가 자신의 작품을 평가받을 때 당대에 좋은 평가를 받으면 좋겠지만, 실제로는 그렇지 못한 사례는 마치 카자흐스탄 사막에 널려 있는 낙타 똥만큼이나 흔하다. 허먼 멜빌이 1851년에 출간한 소설 『모비 딕』은 현재 미국 문학계의 고전으로 자리 잡았지만, 멜빌이 일흔두 살의 나이로 죽기 전까지 팔린 부수는 고작 3,200부에 지나지 않았다.

　미국 장르 문학의 선구자로 칭송받는 에드거 앨런 포의 작품은 19세기 문단의 유행과 맞지 않는다는 이유로 외면받았고, 그 자신도 생전에는 제대로 된 작가 취급을 받지 못했다. 당대에는 그저 비평가 정도로만 알려졌을 뿐이었다. 하지만 오늘날 그는 미국 문학사에 매우 중요한 작가로 평가되며, 그의 작품은 프랑스 상징주의 문학을 태동시켰을 정도로 큰 영향력을 미쳤다. 이런 일들은 비단 문학계에서뿐만 아니라 음악계에서도 흔히 일어나는 일이다.

유명한 작곡가도 처음에는 혹평받은 사례는 얼마든지 있다. 베토벤의 교향곡 제9번은 '기괴하고 볼품없다. 두 배는 더 길었어야 했다'라는 평을 받았고, 바그너의 오페라 〈트리스탄과 이졸데〉는 '마치 폭탄이 커다란 음악 공장에 떨어진 것 같은 소리다. 이런 식의 작품이 대중적인 인기를 끌지 않기를 바란다'는 평을 받았으며, 드뷔시의 〈관현악을 위한 3개의 교향적 소묘〉는 '뱃멀미를 표현한 교향곡이다. 드뷔시의 바다는 개구리 연못이었다'라는 평을 받았다.

이렇게 창작가나 작품이 재평가를 받는 데는 여러 가지 이유가 있다. 먼저, 시대가 감당하기에는 작품이 너무 시대를 앞서버린 케이스다. 새로운 작품이나 사상에는 늘 선구자가 필요하다. 하지만 이런 선구자의 작품들을 받아들이기에는 사회적 인식이 부족하고, 학술적 경험이 다르기 때문에 당대에는 그들의 작품이나 주장은 외면받고, 심지어 아예 미친 사람 취급을 받게 되는 것이다. 하지만 시간이 흘러 그 뒤를 따르는 사람이 등장하고, 사회 분위기가 변하고, 연구 성과가 누적되면서 선구자가 내놓은 주장이나 작품은 긍정적인 방향으로 재평가를 받게 되는 것이다.

한편, 아예 대중에게 알려지지 못해 평가받을 기회조차 부여받지 못한 경우도 있다. 작품이 극히 일부에

게만 알려진 케이스로 당대에는 작가의 작품이나 사상이 존재했는지도 잘 모른다. 하지만 일부에게 알려진 이런 컬트적인 작품들이 시대의 변화에 따라 다른 사람들도 받아들일 수 있는 토대가 준비되고, 마니아들의 적극적인 재발굴 작업이 진행되면서 주류 차원의 재평가가 이뤄지는 경우다. 이 경우는 재평가보다는 묻힌 것이 발굴된 것에 가깝지만 당대에 소수나마 평가가 있었기에 재평가로 부를 수 있다.

　나의 경우를 보자면, 명백히 후자 쪽이라고 생각한다. 이제까지 19장의 앨범을 발매했지만, 아쉽게도 극히 일부 마니아들만 찾아 듣는 철저한 비주류의 음악이 되어 버렸다. 이런 인식은 비단 일반 대중뿐 아니라 음원 유통사도 마찬가지다. 내가 해외 뮤지션과 정성껏 작업한 앨범을 들고 유통사에 '이번 앨범은 영국 아티스트 NJ씨와 글로벌 프로젝트로 진행되었습니다. 스트리밍 서비스사의 메인 페이지 신곡 차트에 올라갈 수 있도록 힘써 주시면 감사하겠습니다'라고 말했더니, 유통사 대표는 멋쩍은 표정을 지으며 '음, 아, 이 곡은 좋긴 한데, 대중성이 좀 떨어지지 않을까요? 허허, 프로모션이라는 게 말처럼 쉽지 않아서 말이죠'라고 웃으며 점잖게 거절했다. 이 말은 신곡을 발표해도 대중에게 내 곡을 알릴 방법이 없다는 것을 말한다.

유명 아티스트들만 메인 페이지에 올려주면, 나 같은 인디 뮤지션들은 도무지 설 자리가 없는 것이다. 내 음악은 아직 현시대에 제대로 된 평가를 받지 못했다고 생각한다. 하지만 오늘도 나는 새로운 곡을 스케치하고 있다. 자신을 내던진 선구자들의 선각과 솔선에 의해 역사의 물줄기가 바뀌었듯 훗날 나의 혁신적인 음악들이 음악 시장의 판도를 뒤바꿀 날이 올 수 있다는 신념 때문이다. 그때가 되면 내 작품들은 다시 역사적 조명을 받고 이런 재평가를 받을 것이다. 'JUNE 53의 작품은 시대를 앞서버린 비운의 명작이었다.'

음악과 재능

재능이 없어도 뮤지션을 할 수 있는가? 내가 생각하는 정답은 '그렇다'이다. 음악 활동을 하면서 중요한 것은 뛰어난 음악성, 화려한 연주 실력 또는 매력적인 외모일 것 같지만 꼭 그렇지만은 않다. 음악에는 정답이 없다. 명확한 철학만 존재할 뿐이다.

1970년대 인기를 끌었던 펑크 록을 살펴보자. 시대의 저항 정신으로 태어난 펑크 록은 기본적으로 연주하기 까다로운 기성 록 음악에 정면으로 대항하여 누구나 쉽게 칠 수 있는 음악을 강조했다. 어제까지 술을 진탕 퍼먹고 다음 날 일어나, 코드 3개를 배워서 무대에 올라가 공연을 한다는 것이다. 기타를 1주일만 쳐도 연주가 가능한 단순한 코드 진행과 신나는 멜로디의 조화는 수많은 초보 밴드나 스쿨 밴드들을 펑크 록에 입문하게 했다.

실력이 없어도 충분히 음악이 가능하다는 것을 입증해 낸 대표적인 사례는 1970년대 영국 펑크 밴드

섹스 피스톨즈의 베이시스트 시드 비셔스다. 1977년 섹스 피스톨즈의 베이시스트였던 글렌 매틀록이 탈퇴했는데, 섹스 피스톨즈의 매니저였던 말콤 맥라렌은 우연히 시드 비셔스를 만났고 그를 밴드 멤버로 영입한다. 흥미로운 점은 당시 시드는 전혀 베이스를 치지 못했다는 것이다. 훗날 말콤 맥라렌은 그를 영입한 이유는 펑크의 저항 정신이 충만했기 때문이라고 말했다. 시드는 앨범 녹음을 위해 당대 유명 메탈 밴드였던 모터헤드의 베이시스트 레미 킬미스터를 찾아가 베이스를 배웠지만, 레미에게 '가망 없는 녀석'이라는 혹평을 받으며 베이스 연주를 포기한다. 따라서 스튜디오 앨범 레코딩은 섹스 피스톨즈의 기타리스트였던 스티브 존스가 베이스 트랙을 맡았으며, 라이브 공연 때에는 시드의 볼륨을 0에 맞추고 다른 사람의 연주를 핸드 싱크하게 된다.

하지만 시드에게는 남들에게 없는 한 가지가 있었으니 그건 바로 반항적인 외모와 미친놈에 가까운 반사회적인 태도였다. 한마디로 제대로 된 펑크 정신, 즉 규칙을 깨뜨리고 권위를 거부하는, 시대가 원하는 정신이 있었던 것이다. 뮤지션으로서의 재능은 형편없었지만, 그는 펑크의 사상과 이미지를 만드는 데 가장 큰 기여를 한 인물 중 한 명이라는 평가를 받고 있으며, 심지어 21세에 요절한 덕분에 펑크 그 자체를 살아온 펑크 록의 전설로 추앙받고 있다.

물론 시드의 일화는 극단적인 사례일 수 있겠지만, 뮤지션에게 중요한 것은 음악 실력 자체보다는 음악에 대한 진지한 태도와 열정, 그리고 끈기가 아닌가 싶다. 그리고 이런 열정만 있으면 실력도 자연스럽게 늘게 된다고 생각한다.

90년대 인디계를 대표하는 밴드인 크라잉넛의 초기 연주를 들어 보면 8비트 드럼과 3코드 진행의 단순한 펑크 스타일의 곡들이 대부분인데, 이는 펑크 음악은 단순하고 접근하기 쉽기 때문이었다고 인터뷰를 통해 밝힌 바 있다. 하지만 최근 이들의 곡을 들어 보면 초기 어설픈 연주와는 대조적으로 상당히 정교한 기타 솔로 연주와 화려한 신서 사운드를 접할 수 있는데, 그저 펑크 정신만 가득 찼던 초기 때와 달리 시간이 지나면서 수준급의 연주 실력을 갖춘 관록의 밴드로 성장한 것이다. 배철수 씨도 한 인터뷰에서 "이제 연주도 제법 잘하는 밴드"라는 평을 한 적이 있다.

심리학자 안데르스 에릭슨은 선천적 재능과 후천적 노력에 관한 연구를 위해 독일 서베를린 뮤직 아카데미의 바이올린 전공 학생들의 연주를 분석했다. 에릭슨은 실력에 따라 등급을 나누고 각 그룹의 연습량을 연구했는데, 가장 탁월한 그룹은 가장 많은 시간을 연습에 투자한 그룹이었다. 결국 실력이란 연습 시간의 차이에서 판가름이 난다고 결론지으며 연구를 마무리한다. 물론 가창력, 연주 실력, 작곡 능력이 선천적으로 타고난 이들도 분명히 있을 것이다. 하지만 결국 대중의 인정을 받는 음악은 그 어떤 재능과 실력이 아니라 뮤지션이 갖고 있는 음악에 대한 열정과 에너지, 그리고 삶의 태도가 아닐까 싶다.

PS. 'JUNE 53의 음악은 상당히 부족하군'이라고 생각하는 독자가 있다면 부디 JUNE 53이 갖고 있는 음악에 대한 열정만큼은 기억해 주시길.

이발

　'장발 극혐. 관리해도 별로고, 얼굴이나 스타일이랑
안 어울려도 별로고, 못생겨도 별로고 딱히 메리트
가 없음. 남자가 장발로 인해 플러스 될 요소가 거의
없음.'
　'여자로 치자면, 여자가 숏컷한 것보다 드물고, 인식
은 여자 숏컷보다 아래라고 보면 됨.'
　'잘생겨도 99퍼센트 짧은 머리가 훨씬 나음.'
　'미용실 가기 귀찮아서 미루다가 길어져서 장발 되
는 사람이 대부분이라 깔끔한 사람이 별로 없음.'
　'잘생긴 사람이 하면 어울리긴 하지만, 그 사람의 짧
은 머리는 몇 배 더 잘 어울림.'

　장발에 대한 부정직인 인식을 적나라하게 보여주는
인터넷 댓글들이다. 그렇다. 남자 장발에 대한 대부분
의 인식은 남녀노소 불문하고 좋지 않다. 경험상 장발
남자는 메탈 뮤지션, 예술가 또는 백수 중 하나의 유

형으로 보거나, 장발이 주는 반사회적인 이미지 때문에 조금 심하면 잠재적 범죄자 같은 취급을 당한다. (실제로 1970년대는 미니스커트와 함께 경범죄로 간주되어 단속을 받았다.)

나는 장발이었으나, 이런 사회의 그릇된 편견에서 해방되고자 최근 머리를 잘랐다. 사실, 이것은 사실이 아니다. 어느 날 자고 일어났더니 뒷머리가 심하게 뒤엉켜 풀 수 없는 상태라 머리카락 일부를 도려내야 하는 상황이었다. 전날 머리를 제대로 말리지 않고 잠들어 버린 게 화근이었다.

엉켜버린 부분만 자르고 계속 장발을 유지하려는 마음도 있었다. 그런데 당시 회사 프로젝트로 인한 극심한 스트레스, 장발을 탐탁지 않게 여기던 동료들의 권유, 그리고 조금씩 생겨난 견인성 탈모, 가족들의 따가운 눈치 등 여러 가지 상황이 한데 어우러져, '이발'이라는 결정으로 자연스럽게 이어졌다.

장발과 이발 사이의 결정을 남겨 놓고 나는 수많은 생각에 잠겼다. '이게(이발) 맞는 건가? 이것이 현명한 선택인가? 이것이 나의 삶에 어떤 영향을 미칠 것인가?'라는 생각에서 '삶이란 무엇인가? 삶은 어디서 오고 어디로 가는가, 존재한다는 것은 무엇인가' 하는 근본적인 철학적 사유에 이르게 됐다.

기분 좋게 활짝 갠 10월의 어느 오후였다. 하늘에는 구름 한 점 없었다. 서늘한 바람이 햇살을 흔든다. 모든 것이 비현실적으로 조용하고 아름답고 투명해 보였다. 새하얀 스니커즈와 와이드 진을 입고 모자가 큼직한 후드티를 걸치고 밖을 나섰다. 이어폰에서는 오마리온의 〈Post to Be〉가 흘러나왔다. 바지에 손을 찔러넣고 음악을 들으며 동네 상가로 천천히 걸었다. 플레이리스트가 에릭 클랩튼의 〈Forever Man〉으로 넘어가는 순간 미용실 앞에 다다랐다. 나는 천천히 이어폰을 빼고 미용실을 둘러봤다. 장발 남자의 등장에 미용실 직원들의 시선이 나를 향했다. 한 직원이 물었다. "예약하셨어요?" 너무 오랜만이라 미용실 예약을 잊었다. 나는 잠시 의자에 앉아 기다려야 했다. 그때 심정은 마치 새로운 행선지를 찾아가는 방랑자와도 같았고, 인터뷰 순서를 기다리는 면접자 혹은 합격 발표를 기다리는 수험생의 마음과도 같았다.

질량과 밀도가 높은 20분이 흐르자 한 직원이 한 번의 호흡으로 다음 세 문장을 내뱉었다. "여기 앉으세요. 어떻게 자르실 거예요? 다듬을까요?" "아뇨, 짧게 자르겠습니다." 나는 마치 일제 치하에서 국권 회복을 위해 목숨을 내놓으며 '내 소원은 대한독립이오'라고 외치는 순국선열과 같은 비장한 얼굴로 단호하게 말했다. 말이 끝나자마자 무섭게 긴 머리카락이 후드득 떨어지기 시작했다. 미용실 바닥에 힘없이 널브러져 있는 머리카락을 보고 있으니 머리카락이 잘리고 힘을 잃어버린 삼손의 마음과, 모든 털이 다 뽑혀 더이상 도술을 쓸 수 없게 된 손오공의 마음과, 단발령에 의해 머리가 잘린 선비와 유생의 마음이 되었다.

20분을 기다리고, 또 다른 20분을 기다리자, 마치 주물 공장에서 주형틀로 찍어낸 듯한 반듯한 사회인의 머리가 완성됐다. 나는 현금으로 계산하고, 천천히 미용실을 빠져나왔다.

집에 와서 거울로 잘린 머리를 바라보니 디즈니 애니메이션 라푼젤이 생각났다. 머리카락으로 포박, 전투, 치유, 이동 등의 일을 모두 처리한 라푼젤이 머리를 땋으니 전투력이 급감하는 모습을 보인다. 머리가 잘리고 나서는 모든 힘을 잃고 평범한 소녀로 돌아가게 된다. 하지만 사실 알고 보면 그녀를 둘러싼 모든 원흉과 어려움의 근본은 긴 머리카락에 있음을 알 수 있다. 그녀는 머리카락을 잘라내고 아름다운 삶을 새롭게 시작한다.

머리를 자르니 여러 생각이 교차했다. 이제 세상과 타협하는 법을 배우고, 긴 머리카락이 없는 삶에 적응해야 한다. 라푼젤처럼 새로운 삶이 펼쳐지길 기대해 본다.

장염

지금은 편의점과 카페에서도 저렴하게 팔리고 있는 바나나는 내가 어렸을 때, 적어도 1980년 중후반까지만 하더라도 굉장히 귀한 음식이었다. 한국물가정보 종합물가총람에 따르면 1988년 바나나 한 개의 가격은 2,000원대였다. 당시 바나나 17개가 붙은 한 송이의 가격은 약 3만4,000원으로 서울에서 부산까지 가는 비행기(항공요금 2만5,900원) 요금보다 비쌌다.

당시에는 필리핀과 대만에 비료와 철강을 수출하려면 우리도 그 나라 생산품을 사줘야 했다. 바나나는 그럴 때나 조금씩 들어오던 수입제한 품목이었다. 따라서 당시 중산층 아버지들이 집안 경사나 특별한 행사가 있을 때 큰맘 먹고 한 송이 사들고 오던 것이 바로 바나나였던 것이다.

요즘 시대, 예전 바나나처럼 귀한 과일을 꼽는다면 나는 단연 망고라고 생각한다. 몇 해 전 한 대형 유통점에서 '1만 원도 안 되는 가격, 필리핀 망고가 하나에

9,990원!'이라는 홍보를 대대적으로 했는데, 며칠 되지 않아서 전국적인 품귀현상을 빚은 일이 있었다. 지금이야 망고가 대중화되었다고는 하지만, 싱싱하고 먹을 만한 망고는 블루베리 100그램보다 비싼 가격에 여전히 판매된다. 물론 비싼 만큼 기가 막히게 맛있다.

나는 여건만 된다면 밥 대신 망고만 먹을 정도로 망고를 굉장히 좋아하는데, 실제로 회사 일로 인도 출장을 가서 몇 주간 아침밥 대신 망고만 먹었다. 껍질째 슬라이스 된 생망고를 최소 3접시 이상은 꼬박 먹은 것 같다.

마리아투 카마라의 소설 『망고 한 조각』의 주인공은 한 사내가 건네는 망고 조각을 통해 새로운 삶의 전환점을 맞이한다. 냉동 망고나 말린 망고만 먹다가 망고의 원산지 인도에서 과육이 제대로 박힌 제철 망고를 먹고 있으니, 마치 마리아투가 건네는 '희망의 망고 한 조각'의 참된 의미를 깨우친 듯했다.

그런데 한 가지 문제가 생겼다. 아침에 먹은 망고가 잘못되었는지, 망고를 먹자마자 바로 설사가 나왔다. 한 가지 특이한 것이 보통 바이러스성 장염이 두통, 발열, 복통을 수반하는 데 비해 정말 말 그대로 설사만 나온다는 것이다. 사태는 더욱 심각해져서 한국행 비행기 안에서도 줄곧 설사를 해댔으며 한국에 와서도 호전될 기세가 보이지 않았다. 나는 장이 꽤 튼튼한 편이라 소화에 별다른 문제를 겪은 적이 없었는데 장염에 단단히 걸렸던 것이다. 겪어 본 사람은 알겠지만, 장염이 무서운 이유는 불규칙성과 불예측성에 있다. 마치 센스 없는 텔레마케터가 중요한 업무 회의 때 불쑥 전화해 '고객님, 새로운 금융상품이 출시되었습니다'라고 말하듯 설사라는 녀석은 전혀 맥락이 없는 상황에 불쑥 찾아와 '흥, 어디 맛 좀 봐라'라는 식으로 사람을 당황하게 만드는 것이다.

그날 저녁 아이들이 놀이터에 나가 놀자고 보챘다. 나는 못 이기는 척 병원에서 준 알약을 몇 개 주워먹고 놀이터로 나갔다. 아이들은 공터에 자라난 잡초를 뜯으며 놀고 있었다. 잡초의 절반이 뜯겨 나가는 시점이 되자, 갑자기 배에서 설사 어택이 들어왔다. 이전에 경험하지 못한 아주 강력한 한 방이었다. 도저히 참을 수가 없었다. "애들아, 아빠 화장실 갔다 올게!" 나는 다급하게 소리를 지르며 아이들을 버려둔 채 근처 상가로 뛰어갔다. 아이들의 안전이나 상황은 고려할 여유가 없었다. 모든 신경이 항문에 집중되어 앞이 보이지 않았다. 어떻게든지 벌어지는 항문을 부여잡고 화장실을 찾아 문을 덜컹 열었다. 휴지는 없었다. 하지만 더 이상 지체할 시간은 없었다. "푸우앙!!!" 바지를 내리는 순간, 마치 머스탱의 개조된 머플러에서 나오는 듯한 굉음을 내지르며 내 똥은 그 자리에서 폭발하고 말았다.

영어 표현 중에 'I have explosive diarrhea'라는 표현이 있다. 번역하자면 '나는 폭발성 설사를 하고 있어' 정도 되겠다. 말 그대로 폭발이었다. '포카리스웨이트를 마시면 설사로 인해 전해질이 빠져나가 몸과 영혼이 분리되는 것을 막아 줍니다'라는 말을 인터넷 어디선가 주워듣고 포카리스웨트를 500리터가량 벌컥 마셔 버린 것이 화근이었다. 휴지가 없기 때문에 엉덩이를 있는 힘껏 탈탈 털고 적당히 바지를 올리고 놀이터로 돌아왔다.

비 온 뒤 막 갠 하늘은 깨끗하고 아름다웠다. 새 지저귀는 소리와 어디에선가 모차르트의 피아노소나타가 흘러나왔다. 누군가 피아노 연습을 하는 모양이다. 순간 나는 깨달았다. 팬티가 스멀스멀 젖어 간다는 사실을…. 이전에 에드 시런이 호주 라디오 Nova FM의 라이브 공연을 하다가 방귀를 뀌었는데 그만 바지에 똥을 싸고 말았다라고 인터뷰에서 밝힌 적이 있어 비웃은 적이 있는데, 이런 일들이 실제로 우리 삶에서 일어나는 것이다.

"아빠, 어디 갔다 왔어?" 유치원 다니는 막내가 당황했다는 듯이 급하게 물었다. "응, 화장실."

　PS. 참고로 크리스 브라운은 "스타들은 무대에 오르기 전에 반드시 화장실에 갔다 와야 한다"라는 명언을 남긴 바 있다. 크리스는 MTV 공연에서 춤을 추다 방귀를 뀌었는데 그만 바지에 똥을 지리고 말았다. 그는 대변이 자신의 다리를 타고 흘러내리는 것을 무기력하게 느끼고 있어야만 했다. 그러고 보면 뮤지션에게 중요한 것은 적절한 시기에 화장실 다녀오는 습관을 기르는 것 아니겠는가.

닫힌 문

뮤지션 중에는 유독 밖에 나오기를 싫어해 스스로를 가둬 버린 사람들이 많다. 예를 들면 프랑스 전기 낭만주의 작곡가 샤를 발랑탱 알캉은 20년간 은둔생활을 했으며, 독특한 다크웨이브 뮤직으로 유명한 독일 아티스트 소포 에터너스(Sopor Aeternus)는 실제 그의 모습을 봤다고 공식적으로 말한 사람이 일절 없을 정도로 노출을 꺼리고 있다. 일본 그룹 아라시의 니노미야 카즈나리는 "집에서 은둔하는 걸 좋아해 몇 달 동안 밖을 나가지 않았는데, 많은 것이 변해 있었다"라는 말을 했으며, 심지어 드라마에서 은둔형 외톨이 역할을 맡기도 했다. 이런 뮤지션들처럼 자의적이고 극단적이지는 않지만, 나도 최근 비좁은 공간에 갇혀 버린 경험을 했다. 러시아에 출장 갔다가 회사 건물에 갇히게 된 것이다.

러시아에 가서 놀랐던 것 중 하나는 굉장히 젊은 미녀가 화장실 청소일을 하고 있다는 것이다. 김태희가

밭을 매고 한가인이 소를 몰고 있다는 우크라이나 정도까지는 아니지만, 러시아는 적어도 내가 가본 북미나 유럽권을 통틀어 미인들이 가장 많은 나라임은 확실한 것 같다. 그런데 문제는 이 미녀들이 화장실 청소를 너무 자주 한다는 것이다.

나는 아주 급작스러운 신호 때문에 겪을 수 있는 당황스러운 상황을 모면하기 위해 미리 용변을 해결하는 스타일이라 적당히 시간이 되면 '음, 슬슬 화장실이나 가볼까?' 하고 화장실을 찾는다. 그런데 이상하게도 화장실에 갈 때마다 "청소 중, 들어오지 마시오"라는 경고 팻말이 붙어 있어서 도통 들어갈 수가 없었다. '이 건물에 화장실이 이거 하나뿐이랴?' 하며 과감히 다른 화장실을 찾았는데, 화장실은 이곳 하나뿐이었다. 이런 사실을 모른 채 엘리베이터를 타고 지하층으로 내려갔다. 회사 건물은 주상복합상가 구조로 되어 있었기 때문에 지하에는 여러 상점이 입주해 있었다. '지하에 쇼핑몰이 있으니 화장실 하나 정도는 있지 않겠는가' 하는 생각에 적당히 엘리베이터 버튼을 누르고 내린 것이다.

엘리베이터에서 내려보니 눈앞에 보이는 것은 철문이었다. 마치 핵 방공호의 입구를 막아 놓은 듯이 보이는 단단한 철문이었다. 철문을 열어 보니 사방이 막혀 있었다. 다시 엘리베이터를 타고 올라가려고 버튼을 찾아보니, 이상하게도 버튼이 보이지 않았다. 자세히 살펴보니 누르는 버튼 대신 자물쇠 구멍만 존재하는 원웨이 방식이었다. 마치 2차 세계대전 당시 스탈린이 독일의 공습을 대비하기 위해 만들어 놓은 지하 벙커로 연결된 통로 같았다. 지하로 내려가는 계단과 위로 올라가는 계단이 동시에 존재했는데, 출구로 통하는 문은 모두 굳게 잠겨 있었다. 수중에 휴대폰도 없었다. 갑자기 호흡이 가빠졌다. 나는 조난을 당해 미지의 세계에 홀로 던져진 로빈슨 크루소의 마음과 화성 유인 탐사작전 중 강력한 폭풍을 만나 화성에 고립된 소설 《마션》의 마크 와트니의 마음을 이해하게 되었다.

순간 러시아 모스크바의 변방의 건물 지하에서 이대로 생을 마감할 수도 있다는 생각이 들었다. 다음날이면 러시아 미녀 청소부에 의해 발견되어 지역신문에 '한국인 의문의 사망'이라는 기사가 1면을 장식할 수도 있겠다. 문득 한국의 화장실 청소 장면이 생각났다. 아무 때나 거침없이 화장실에 들어와서 와일드한 대걸레질을 보여주시던 한국의 환경미화원 아주머니들이 그리워졌다.

문을 두드려 보고, 소리를 질러 보고, 벽을 더듬어

보았다. 그러다가 우연히 숨은그림찾기의 단골 메뉴인 삼각자를 찾아내듯 벽면 모서리에 숨어 있는 동그란 버튼을 찾아냈다. 이것은 별다른 형체가 없이 그냥 누를 수 있는 동그란 버튼이었기에 혹시나 하고 내가 알고 있는 유일한 모스 부호인 SOS를 입력했다. "·····-··· (돈돈돈 쯔쯔쯔 돈돈돈)" (사실 헷갈려서 SOS 대신 OSO를 입력한 것 같기도 하다.)

잠시 후 러시아 말로 이상한 소리가 들렸다. 작은 버튼 안에 작은 스피커가 달려 있는 듯했다. "여기는 알파, 카피 댓, 목표가 이동 중이다. 긴급 근접 공중 지원 요청한다. 라저!" 러시아 특수작전 부대 스페츠나츠의 대원의 다급한 목소리가 들렸다.

물론, 이건 거짓말이다. 알아들을 수 없지만, "뚱슝 칼타 모노스키?, 따라쓰타 스키!(너 거기서 뭐하냐? 얼른 나와라!)"라고 말하는 듯한 어감이었다. 나는 "헬프 미"를 연신 외쳐댔다. 그랬더니 "뚜-"하는 소리와 함께 문이 열렸고, 눈앞에 평화로운 쇼핑몰 광경이 마법처럼 펼쳐졌다. 쇼핑몰은 러시아 가족들의 행복한 웃음소리로 가득 차 있었다.

호흡을 가다듬고 사무실로 올라갔다. 시간을 보니 30분 정도 흐른 모양이다. 화장실은 아직도 청소 중이고, 회사 직원들은 아무렇지 않다는 듯 제 할 일에 몰두하고 있었다.

  PS. 나는 뮤지션으로든 회사원으로든 갇혀 있는 것
은 질색이다.

발표회

　미국에는 그래미 어워드가 있고, 한국에는 SBS 가
요대전이 있다면, 유치원에는 음악발표회가 있다. 이
는 마치 우드스톡이나 글래스턴베리 페스티벌을 연상
케 하는 유치원 최대 규모의 행사로, 1년에 단 한 번
할머니, 할아버지, 삼촌, 고모, 이모 등 내빈들을 초청
해 외부 공연장(이를테면 구민회관)에서 성대하게 진행
된다.

　유치원에서는 유독 이 행사에 집착하는 경향이 있
는데, 유치원 교사인 아내의 말에 따르면 빠르면 3개
월 전부터 음악 선곡과 안무 등 행사를 위한 사전 작
업이 이루어진다고 한다. 이것이 중요한 이유는 유치원
에서 통 무엇을 하는지 모르는 대부분 학부모와 그의
지인들에게 짧은 시간 동안 유치원이 평가받는 자리
이기 때문이다. 따라서 교과 커리큘럼이 어찌 됐건 간
에 아이들 공연의 수준에 따라 "허, 그 유치원 참 잘
하네"라던가 "이 유치원, 뭔가 허술하구면⋯" 등의 평

가를 받게 되는 것이다. 따라서 1시간 30분이라는 짧은 시간에 모든 것을 보여줘야 하는 유치원 입장에서는 굉장히 신경 쓸 게 많은 행사다.

행사에서 가장 중요한 것은 이를 이끌어가는 사회자의 역량이다. 아무리 허접한 콘텐츠로 구성된 행사라 하더라도 청중과 호흡하며 시기적절할 때 치고 빠지기를 잘하는 사회자는 죽어가는 콘텐츠도 심폐소생시킬 수 있다. (내가 실제로 수년간 회사의 크고 작은 행사의 담당자로 겪어 본 경험담이다.) 따라서 유치원으로서도 어설픈 부장 교사나 원감이 진행하기보다는 제대로 된 사회자를 섭외할 때가 많다.

내가 관찰한 결과, 유치원 음악발표회의 사회는 그다지 높은 수준의 진행 스킬을 요구하지 않는다. 아무래도 어르신들이 많이 모인 자리다 보니 적당한 농담만 던져도 금세 화기애애해진다. 예를 들면 사회자가 매년 "거북이를 다섯 번 천천히 말해 보세요", "세종대왕이 만든 것은?"이라고 물어보는데, 매년 자신 있게 손들고 "거북선!"을 큰 소리로 외치며 좋아하는 사람들이 있기 때문이다.

나는 유치원 음악발표회의 사회자에 상당한 불만이 있는데, 작년 발표회 때 상품에 눈이 먼 아내 등쌀에 떠밀려 무대에 올라간 경험 때문이다. 선물을 받으러 무대에 올라갔더니 사회자가 싸이의 〈강남스타일〉 음원에 맞춰 말춤 추기를 강요했다. 울며 겨자 먹기로 나와 같은 아빠 5명이 단체로 말춤을 출 수밖에 없었다. 록스타가 꿈이었던 내가 테크노 음악에 맞춰 어르신들과 학부모 앞에서 손을 흔들어야 했던 그때의 기억은 대한제국이 일제에 의해 통치권을 잃어버린 경술국치와 맞먹는 수준의 치욕으로 남아 있다.

이번 발표회에서도 사회자는 능숙한 말 놀림으로 대중을 쥐락펴락하면서 퀴즈 맞히기를 은근히 강요했지만, 난 묵묵히 팔짱을 낀 채 지켜보기만 했다. 옆에서 장모님이 "이 서방! 문제 좀 맞혀 봐!"라며 부추기셨지만, 작년 '발표회 치욕 사건'이 떠올라 조국을 위해 뜻을 굽히지 않았던 독립투사의 마음으로 침묵을 지켰다.

그런데 이번엔 뭔가 달라졌다는 느낌이 들었다. 사회자는 아주 정직하게도 정답을 맞힌 사람에게 아무것도 시키지 않고 선물만 증정하면서 계속 공연을 이어간 것이다. 이상하게도 단 2개의 공연만을 앞둔, 발표회의 후반부로 치닫고 있는 와중에도 사회자는 청중들에게 아무것도 시키지 않았다. 나는 속으로 '뭐야? 이번에는 아무것도 시키지 않는 거였어? 열심히 손들 걸 그랬나?'라고 생각하고 있었는데, 어느 순간 사회자는 정답을 맞힌 5명을 무대로 불러올렸다. '앗! 다섯 명….' 불길한 느낌이 들었다.

갑자기 무대가 어두워지더니 안드레아 보첼리의 〈Mai Piu Cosi Lontano〉가 흐르기 시작했다. (참고로 이 곡은 SBS에서 방영했던 프로그램 〈결혼할까요?〉의 테마 곡으로 헤어진 연인이 재회하고, 집 나간 며느리도 돌아오게 한다는 마성의 BGM이다.) 사회자는 멋모르고 무대에 올라온 아빠들에게 영상편지를 하라고 시켰다. 당황한 첫 번째 아빠는 아내에게 독백하며 눈물을 흘렸고, 두 번째 아빠는 처남의 생일을 언급했다. 사회자는 세 번째 아빠에게는 막내아들에게, 네 번째 아빠는 장모에게 영상편지를 보내라고 했는데, 마지막 다섯 번째 아빠에게는 예상 밖으로 자기 자신에게 영상편지를 쓰게 했다. 마지막 아빠는 혼자 중얼거리며 자신의 순서를 기다리며 연습을 하고 있었는데, 자기 자신에게 말을 하라고 하자 당황한 표정을 지으며 횡설수설하다가 무대에서 내려왔다.

'내 이럴 줄 알았다….' 나는 속으로 작은 승리를 자축하며 가벼운 발걸음으로 공연장을 빠져나왔다.

PS. 일곱 살 푸른강반이 선보인 보케리니 〈미뉴에트〉의 실로폰 연주를 낭만주의적 해석과 유동적인 템포로 재해석해 낸 담임선생님의 지휘는 베를린 필하모닉 오케스트라를 지휘하는 마에스트로를 연상케 할 정도로 훌륭했다.

사내 밴드

우연히 유튜브 음악 채널에서 과격한 하드코어 록 음악을 하는 바세린이라는 밴드의 영상을 봤다. 전형적인 하드코어 스타일의 곡이지만 멜로디 라인이 두드러지는 매력적인 기타 리프와 휘몰아치는 드럼 사운드가 가히 일품이었다. 좀처럼 보기 드문 아날로그적인 정통 록의 음색을 가진 밴드였다. '허, 아직도 이런 음악을 하는 친구들이 있나?' 싶었는데, 알고 보니 직장인 밴드였다. 강력한 에너지를 분출하며 화려한 무대 퍼포먼스를 선보이는 이들이 프로 뮤지션이 아니라 낮에는 생업에 종사하고, 밤에는 모여서 연습을 하는 지극히 평범한 직장인들이었다는 사실에 깜짝 놀랐다.

이들의 존재는 나에게 큰 자극이 되었다. 1회 강연료로 20만 달러를 받는다는 세계적인 동기부여가 브라이언 트레이시의 강연이나, 오프라 윈프리의 강연에서보다 훨씬 놀라운 삶의 통찰을 얻었기 때문이다. 음악을 정말 사랑한다면 프로의 길을 가는 것 말고도 음악 활동을 할 수 있는 방법은 얼마든지 있을 수 있겠다라는 깨달음을 얻은 것이다.

다음 날 회사에 출근해 사내 밴드를 만들기로 결심했다. 당시 회사에서는 일정 인원이 모이면 공식적인 사내동호회로 인정을 해주고 동호회 활동비를 지원해줬다. 나는 악기를 다룰 수 있는 사람을 수소문해서 설득시키고 밴드 동호회에 가입시켰다. 또한 아무것도 모르는 신입사원들도 밴드 동호회에 데려왔다. 일명 유령회원, 사내동호회 허가를 위한 최소 인원수를 맞추기 위해 가입된 회원으로 음악과 무관한 직원들이라고 할 수 있다. 며칠 뒤, 회사의 공식적인 동호회로 승인되었다는 인사팀의 연락을 받았다.

당시 회원들을 소개하자면, 아내에게 프러포즈하기 위해 통기타로 곡 하나를 마스터한 영업팀 대리, 코드는 볼 줄 모르지만 초등학교 때 체르니 40번까지 쳤던 파견직 사원, 교회에서 어깨 너머로 베이스를 배웠다던 전산팀 과장, 그리고 아무것도 모르는 신입 유령회원 2명이 전부였다. 당시 우리가 했던 일은 모여서 정기적으로 밥을 먹는 것이었다. 물론 회삿돈으로 말이다. 제대로 연주할 수 있는 사람이 없으니 당연한 일이었다. 동호회 비용을 모아서 분기별로 고급 호텔 뷔페 또는 3킬로그램짜리 랍스터 등 정말 비싼 음식을 사 먹었다.

　회원들에게 이렇게 좋은 음식을 제공한 것은 제대로 된 연주를 할 수 있는 사람이 들어오기 전까지 회원 탈퇴를 막고 동호회를 유지하기 위해서였다. 얼마 후 밴드 동호회의 회원이 급속도로 늘어났다. 밴드 동호회에 가면 고급 음식을 먹는다는 소문이 회사에 퍼진 까닭이다. 내 기억으로 당시 회원은 무려 30명에 이르렀다. 난 트라이앵글, 난 캐스터네츠, 난 댄스 담당 등등을 외치며 정말 음악과는 무관한 사람들이 몰려들었다.

　그러던 어느 날, 사장이 나를 부르더니 사내 밴드가 사내 워크숍에서 공연을 할 수 있느냐고 물었다. 동호회 규모가 커지자 회사에 밴드부가 생겼다는 소식이 사장 귀에도 들어간 것이다. 음주 가무를 좋아했던 사장은 사내 밴드의 노래를 듣고 싶어 하는 눈치였다. 나는 마치 전장에서 '이봐, 그래도 우리는 함께 전국시대를 이끌어간 장수들인데 한 번만 살려 주게나'라고 애원하는 적장의 목을 단칼에 베어 버리는 사무라이처럼 단호하게 말했다. "공연을 준비하고 장비를 대여하는 데 엄청난 예산이 소요되기 때문에 쉽지 않을 것 같습니다." 나는 공연을 하려면 수백만 원이 들어가는 장비 대여비와 합주실 비용, 악기 구매 비용이

드는데 동호회 예산으로는 턱도 없다는 취지의 발언을 했다.

사실 연습다운 연습은 물론 합주 한 번 제대로 해 보지 못한, 마치 장난감 병정 같은 오합지졸 밴드였다. 실력이 없어서 못 하겠다는 말이 입에서 떨어지지 않아 적당한 이유를 둘러댔던 것이다. 그랬더니 사장이 이렇게 말했다. "오늘까지 예산 얼마 드는지 확인해서 보고하도록."

나는 최대한 예산을 부풀려 작성했다. 식사비, 택시비, 악기 구매비, 연습실 대여비, 장비 대여비 등 모든 항목을 꼼꼼히 작성하고 부담스럽게 부풀려서 보고서를 작성했다. 심지어 장비 대여비에는 무대 연장을 위한 설비와 무대 조명, 안개 효과 장치까지 들어 있었으며, 연습 시간을 업무 시간으로 인정해 달라는 첨언까지 달았다. 한 번 공연에 이 정도 예산이 소요된다면 거절하리라 생각했다. 사장은 예산안을 훑어보더니 단번에 이렇게 말했다. "오케이! 진행해 보게."

나는 악기 연주가 가능한 사람들을 모아 놓고 이제 우리가 공연을 시작할 때가 됐음을 선포했다. 그리고 다음 날부터 매주 2회씩 모여 연습했다. 코드를 모르는 키보디스트는 곡을 연주하기 위해 개인 레슨을 받았다. 나는 집에 가면 아내의 핀잔을 들으면서 온종일 기타를 연습했다. 예산은 남아돌았다. 우리는 연습이 끝나면 먹고 싶은 것, 마시고 싶은 것은 얼마든지 배부르게 사 먹고 택시를 타고 집에 갔다. 그렇게 우리는 연습을 했고, 기적적으로 첫 공연을 무사히 마쳤다. 물론 엄청난 실수가 난무하는 무대였지만 사장은 아주 흡족한 아빠 미소를 지으며 이렇게 말했다. "너희들이 자랑스럽다."

이를 계기로 우리는 매년 2회 정기 공연을 하게 되었다. 지금 생각해 보면 사내 밴드 활동은 회삿돈으로 배 터지게 먹고, 공짜로 기타 연습도 시켜 주고, 이래저래 회사 생활을 버티게 해준 고마운 기회였다. 하지만 사내 공연은 얼마 가지 않아 사라지고 말았다. 베이시스트가 퇴사해 버린 까닭이다. 사내 밴드는 베이스를 연주할 수 있는 직원이 입사할 때까지 다시 맛집 탐방 동호회로 전락해 버렸고, 나는 다른 회사로 이직해 버렸다.

밴드 바세린은 인터뷰에서 이런 말을 했다. "직장이 있으니까 우리 나름으로는 좋아하는 음악을 밥벌이가 아니라 정말 순수하게 대할 수 있는 것 같아요. 예전에 해외에서 공연해 달라고 한 적이 있었는데, 그때도 심각하게 고민했어요. 그런데 현실은 현실이잖아요. 아마 그때 꿈을 좇아 해외에 나갔으면 지금쯤 쪽박 차고 있을지도 몰라요." 이들의 생각을 들어 보면, 놀랍게도 뮤지션보다는 현실적인 직장인의 마인드에 더 가까웠다. 그리고 이런 직장인의 마인드를 통해 순수하게 음악을 마주하고 있었다.

프로와 아마추어를 떠나, 음악이 주는 힘은 음악을 대하는 태도와 열정에서 나오는 것 같다. 나는 프로의 길을 지향하며 이를 생업으로 삼고자 노력하는 인디 뮤지션이다. 하지만 돌이켜 보면 열정을 가지고 순수하게 음악에 집중했던 때는 아마추어 밴드였던 사내 밴드의 기타리스트로 활동했던 시기가 아니었을까 싶다.

쥬꾸자바 종종종

지금은 이해가 안 되지만 시간이 한참 흘러야 이해되는 것들이 있다. 어렸을 적 컴퓨터를 사달라고 졸랐을 때 사줄 수 없었던 아버지의 마음, 진귀한 열대과일이었던 바나나를 건네며 나는 배부르니 많이 먹으라던 어머니의 마음, 학기 초반부터 회초리를 들며 기선을 제압하던 선생님의 마음 같은 것들이다. 당시 어린이의 눈높이로 이해되지 않았지만, 빗물처럼 서서히 스며드는 인생 경험과 자의든 타의든 간에 나이 들어가면서 갖게 되는 사회적 지위나 역할을 떠안게 됨에 따라 보이지 않던 것들이 문득 이해가 되는 것이다. 비슷한 의미로 당시에 문맥적 의미를 몰랐으나 한참 커버린 후 '음, 이런 의미였군' 하고 깨닫게 되는 것들도 있는 것이다.

내 딸이 다섯 살 때 일이다. 퇴근하고 집에 오니 딸이 이상한 노래를 흥얼거리고 있었다. 가사를 유심히 들어 보니 '쥬꾸자바 종종종'이란 말의 반복이었다. 궁금해서 어디서 나오는 노래냐고 물어보니 "응, 이거 TV에 '라이온 소대'에 나오는 거야"라고 대답했다. 이 노래가 너무 궁금해서 딸의 말을 근거로 한참을 인터넷에서 뒤졌지만 찾을 수가 없었다. 왠지 모르겠지만 이 가사와 멜로디가 귀에 착 붙어 떠나지를 않았다. 샤워를 하거나, 거리를 걷거나, 심지어 회사에서 업무를 하다가도 무의식적으로 '쥬꾸자바 종종종'을 중얼거렸던 것이다. 아무런 의미도 음정도 멜로디도 모르지만, '쥬꾸자바 종종종'이라는 말이 뇌리에서 떠나지 않았다. 하루에도 수십 번 같은 말을 중얼거렸다.

시간이 흘러 끝없이 무덥던 여름이 막바지에 이르고, 더 이상 매미 울음소리를 들을 수 없게 되자 나도 중얼거리던 '쥬꾸자바 종종종'을 멈추고 말았다. 딸의 관심이 〈시크릿 쥬쥬〉나 〈에그엔젤 코코밍〉 같은 다른 만화로 옮겨 가자 나도 자연스럽게 이 말을 하지 않게 되었고, '쥬꾸자바 종종종'은 기억 저편에서 흐릿하게 희석되어 간 것이다.

그로부터 4년이 흘렀다. 그동안 둘째가 태어나고, 회사를 옮겼으며, 몇 개의 원고 계약도 있었다. 그러던 어느 퇴근길, 정부가 한국 경제 성장률 전망치를 0.2 퍼센트 포인트를 하향 조정했다는 인터넷 기사를 보게 되었다. 그 순간 갑자기 인도 다람살라에서 수련의

임계치를 넘어 득도해 버린 고승의 깨달음처럼 대뇌변 연계에서 '쥬꾸자바 종종종'에 대한 기억이 떠올랐다. 의도했던 바는 아니지만, 마치 한번 자전거를 타는 방법을 알게 되면 그 방법을 잊지 않는 것처럼, 이것이 절차기억으로 남게 되어 아무런 의식의 방해 없이 순간적으로 이 말이 입 밖으로 나오게 된 것이다. 다시 말해, 4년 전 '쥬꾸자바 종종종'이라는 반복된 신호가 신경세포와 연결되는 시냅스를 강화시켜 이것을 뇌의 깊숙한 저장 장치에 각인해 버렸고, 어떠한 자극에 의해 각성되어 봉인되어 있던 기억의 결계를 깨버린 것이다. 그렇게 '쥬꾸자바 종종종'이라는 말은 다시 내 머릿속을 맴돌았다. (뛰어난 음악가와 운동선수는 절차기억을 통해 남들보다 뛰어난 능력을 발휘한다고 하지만, '쥬꾸자바 종종종'을 절차기억을 통해 무의식적으로 반응한다는 것이 삶에 어떤 의미를 가져올지는 모르겠다.)

나는 '쥬꾸자바 종종종'이 다른 환경의 간섭으로 다시 기억의 늪에 가라앉기 전 재빨리 유튜브를 켜서 검색했다. 아무런 검색 결과가 나오지 않았다. 4년 전처럼 실패할 수 없다는 생각이 들었다. 나는 마치 2차 세계대전 때 독일 에그니마의 다중치환암호를 해독하기 위해 발버둥 치는 연합군의 마음으로 수많은 키워드의 조합을 사용해 본격적인 검색에 들어갔다. 30분간의 사투 끝에 결국 이 노래의 정체를 알아냈다. 기쁨과 허무함이 공존했다. 에니그마의 일일 배열표를 풀어 폴란드 암호국에 넘긴 정보원의 마음도 이와 같을 것이다. 이 노래의 제목은 '라이온 소대'의 '쥬쿠자바 종종종종'이 아닌 '라이온 수호대'의 삽입곡 '주카자마 좀좀좀'이었다.

나는 너무 기쁜 나머지 딸에게 달려가 "주카 자마 좀좀좀이었어!"라고 외치며 2분 40초가량의 오피셜 뮤직비디오를 보여주었다. 영상을 다 본 딸은 이렇게 말했다. "응, 미안, 그때는 내가 어려서 쥬꾸자바 종종종인 줄 알았어."

PS. 〈라이온 수호대〉 팬덤 웹사이트에 따르면 '주카 자마 좀좀좀(Zuka zama zom zom zom)'은 동아프리카 해안지역에 사는 스와힐리족의 언어인 스와힐리어로 '주카=튀어올라(pop up)', '자마=뛰어들어(drvie in)', '좀=가(go)'의 의미라고 한다.

흥이 많은 독자께서는 아래 1절 가사를 참고하여 신나게 팔다리를 흔들며 불러 보시길.

주카 자마 좀좀좀 주카 자마 좀좀좀
정글 사는 건 즐거워 주카 자마 좀좀좀

신나는 모험이 기다려 주카 자마 좀좀좀

조금 위험해도 기분 좋아! 주카 자마 좀좀좀

내 걱정 하지마 괜찮아

주카 자마 좀좀좀 주카 자마 좀좀좀 주카 자마 좀좀좀

『타임』과 『뉴스위크』

미국의 내표적인 시사 주간지를 두 개만 뽑자면 『타임』과 『뉴스위크』가 있다. 둘은 비슷해 보이면서도 몇 가지 큰 차이가 있어 『타임』을 읽느냐, 『뉴스위크』를 읽느냐에 따라 읽는 사람의 성향을 알 수도 있다.

먼저 『타임』의 기사들은 상당히 디테일하다. 사건의 배경부터 일어나게 된 이유, 사건이 주는 의미까지 굉장히 많은 정보를 하나의 기사로 담고 있다. 『뉴스위크』는 한결 간단하고 명료하다. 『뉴스위크』가 몇 개의 단락으로 기사를 마무리하는 데 비해 『타임』은 페이지가 넘어가도 기사가 계속되는 경우가 많다. 따라서 독자들은 『타임』에서 요점을 찾는 데까지 꽤 많은 시간을 할애해야 한다. 반면 『뉴스위크』는 정확하고 간결하며 읽기 쉬운 것에 초점을 맞춰서 편집되기 때문에 에디터의 요지를 파악하기가 쉽다.

『타임』의 기사들은 그 디테일만큼이나 다루는 주제 또한 상당히 무겁다. 오바마 헬스 케어 플랜이라던지,

줄기세포라던지, 트럼프의 보호무역주의 정책 등에 관한 것이다. 반면『뉴스위크』는 '왜 브리티니 스피어스가 당신에게 좋은가?', '이스라엘의 가장 오래된 맥주' 같은 가벼운 기사들을 쉽게 볼 수 있다.

또 다른 특징은『타임』은『뉴스위크』에 비해 더욱 방대한 주제를 다룬다는 것이다.『타임』은 미국, 세계, 경제, 정치, 비즈니스, 기술, 건강, 과학, 엔터테인먼트, 여행 등 주제가 다양하지만,『뉴스위크』는 주로 세계, 경제, 정치, 비즈니스 등 몇 가지 주제에 집중되어 있다.

이런 다양한 차이 속에서도『타임』과『뉴스위크』를 가르는 결정적인 요인은『타임』이 인물, 즉 사람 중심의 기사를 다루는 데 비해,『뉴스위크』는 사건 중심의 기사를 다룬다는 데 있다.

예를 들면『타임』은 지난 80년간 "올해의 인물(Person of the year)"이라던가, "세계에서 가장 영향력 있는 100인(Time 100)"을 1999년부터 매해 발표하고 있다. 또한『타임』이 주제 인물을 선정해 인물을 통해 사건을 조명하는 반면,『뉴스위크』에는 사건과 사건의 인과관계를 다루는 기사가 많다.

영화나 드라마에서 단편을 기획할 때는 사건 중심의 이야기를, 장편일 때는 인물 중심으로 스토리를 풀어

간다고 한다. 사건 중심의 이야기 전개는 인물보다는 인물이 겪는 사건을 중심에 두는 것이고(이를테면 수사물이나 액션물), 인물 중심은 초반부터 캐릭터를 명확히 구축하고 인물과 인물 사이의 관계를 중심으로 이야기를 푸는 방식이다.

그런 의미에서 보면 음악을 한다는 것은 『뉴스위크』보다는 『타임』에 가깝다. 뮤지션이 추구해야 할 것은 한 곡만 반짝 흥행하고 사라져 버리는 '원 히트 원더'가 아니라, 비록 당장은 대중의 사랑을 받지 못한다 하더라도 꾸준하고도 지속적인 노력을 통해 자신만의 음악관을 구축해 내야 하는 장편영화에 가깝기 때문이다.

미국 뉴저지 출신의 록스타 브루스 스프링스틴이 《Burn to Run》 앨범으로 단숨에 스포트라이트를 받은 일이 있었다. 1975년 10월 『타임』과 『뉴스위크』는 동시에 브루스 스프링스틴을 커버 사진으로 실었다. 이는 록스타로는 최초로 미국을 대표하는 양대 언론지의 표지를 장식한 일로 유례없는 사건으로 기록되었다. 스프링스틴의 노래가 단순히 듣기 좋은 음악 수준을 넘어 힘겨운 블루칼라들의 꿈을 노래해 희망을 남겼기 때문이다.

글이 길었는데, 사실은 타이틀곡 〈Burn to Run〉은

토요일 오후 방청소하며 듣기 좋은 곡이니 꼭 한번 들어 보라는 말을 하고 싶었다.

말장난

나는 기본적으로 말장난을 좋아한다. 특히 동음이의어를 사용한 언어유희나 운율과 각운을 이용한 말장난을 굉장히 즐기는 편이다. 예를 들면 '마그마는 내가 막으마'라든지, '얘들아, 여기는 인천 앞바다가 아니고 인천 엄마다', 또는 '소나타는 소(가축)나 타'라는지 하는 식의 유머를 말하는 것이다. 이는 80년대 참새 시리즈(총 맞은 참새와 살아 있는 참새의 다양한 대화로 구성된 유머 모음. 예컨대 'A: 내 몫까지 살아줘', 'B: 떠날 때는 말 없이'), 90년대의 최불암 시리즈(PC통신에 널리 퍼진 썰렁 유머를 집대성한 모음집)의 계보를 이어 현재는 '아재 개그'로 불리고 있는 전통식 허무 유머로 나는 아이들에게 하루에 몇 번이라도 이런 말을 건넨다.

아재 개그를 구사할 때 중요한 것은 상황과 대상에 따라 적합한 운율을 생각해 말하는 것이다. 예를 들면 딸에게는 '싫으면 시집가'라고 말할 수 있지만, 아들에게 '싫으면 장가가'라고 말할 경우 언어의 유희성을 잃게 되어 아재 개그로서의 가치는 떨어지게 된다. 마찬가지로 '이르면 일본놈' 대신 '이르면 미국놈'으로 말해 미제국주의에 대한 거부감을 표하고 싶다 하더라도, 이는 운율이 맞지 않아 제대로 된 전통식 아재 개그라 할 수 없다. 또한 아재 개그에서는 개그를 하는 주체가 중요하다. 나처럼 누가 봐도 제대로 된 아재가 아재 개그를 구사해야지 아재 개그로 인정받지, 젊은 청년이 아재 개그를 구사하는 것은 한국어를 좀 한다는 외국인이 한국인 행세를 하는 꼴이 되어 버린다.

아내가 친구들과 약속이 있는 어느 초저녁이었다. 아내는 내게 애들 잘 보고, 저녁 식사는 냉동 볶음밥을 꺼내 해먹이라는 말을 남기고 문밖을 나섰다. 물론 나는 아이들과 함께 인형 놀이도 하고, 책도 읽어주고, 놀이터에서 미끄럼틀도 타며 시간을 보내고 싶은 마음이 굴뚝같았다. 하지만 전날 야근으로 몹시 피곤했던 터라 이때다 싶어서 아이들에게 TV를 틀어주고 꿀 같은 낮음을 실컷 잤다. (이 글을 읽게 될 아내에게 말하자면 이건 절대 핑계가 아니다.) 1시간쯤 지난 후 잠에서 깼는데 아직도 TV를 보고 있길래, "이제 그만 TV 꺼야지"라고 딸에게 말했다. 그랬더니 정색을 하며 "싫어"라고 대답했다. 마치 친한 친구에게 빚보증을 서

달라고 했을 때 매몰찬 거절의 '싫어'와 같은 느낌이었기 때문에 적잖이 당황했는데, 나는 이내 침착함을 유지하며 "싫으면 시집가!"를 외치고 TV를 꺼버렸다. 그랬더니 딸은 "TV 안 보여주면 잠잤다고 엄마한테 이를 거야"라며 으름장을 놓았다.

'아니 이 녀석이 어디서 이런 지혜가 생겼지?' 속으로 생각하면서도 이내 '훗, 어린애 따위한테 질 수 없지' 하며 "일러라 일러라 일본놈!(음정: 미미레 미미레 미솔솔)"을 외쳤다. 참고로 이것은 구전으로 전승된 우리나라의 대표적인 언어유희로 지역에 따라 '일러라 일러라 일롬보' 등의 다양한 바레이션이 존재한다. 그랬더니 갑자기 딸이 이렇게 응수했다. "싫은데 내가 왜, 얼마 줄 건데.(음정: 미레미 미레미 미레시레미)" 비록 두운이나 각운을 활용한 언어유희는 찾아볼 수 없어도 3·3·5조의 운율과 입에 착 달라붙는 음계를 가진 아이의 말장구에 깜짝 놀라고 말았다. 어디서 배웠냐고 묻자 초등학교 친구들이 그렇게 말한다고 한다.

저녁 식사 후 가만히 생각해 보니 이내 씁쓸해졌다. 언어유희란 자고로 당대의 시대상을 반영하고 있기 때문이다. '이르면 일본놈'은 일제 치하에 깊게 뿌리내린 반일 감정을 대변하며, '싫으면 시집가'는 근대 여성의 힘든 시집살이의 고충을 담고 있다. 따라서 사회의 개

인주의화(싫은데 내가 왜)와 물질만능주의(얼마 줄 건데)의 팽배를 내포하고 있는 이런 류의 언어유희를 듣고 있자니 참으로 삭막해진 시대에 아이들이 살고 있구나라고 깨닫게 된 것이다.

이런 생각을 하고 있자니, 굳이 말장난이라는 명목으로 아이들에게 반일 감정을 부추기거나, 시집살이에 대한 공포를 조성할 필요가 있었나 하는 마음이 든다.

한식과 음악

몇 년 전 회사에서 해외법인 경영 컨설팅 업무를 맡은 적이 있다. 이 업무 덕분에 본의 아니게 1년의 절반을 해외에서 생활했다. 해외에 나가면 각 나라의 경제, 정치, 문화 등 다양한 것을 접하게 되는데 놀랍게도 식사만큼은 절대적으로 예외다. 내 말인즉 해외에 나가면 당연히 그 나라의 전통 현지 음식을 먹게 될 것이라는 예상과 반대로 한식만 먹게 된다는 것이다. 정확히 말해 각 나라의 다양한 스타일의 한식을 고루 접하게 된다.

"자, 이번에 본사에서 출장자가 왔으니 오늘은 특별히 '아리랑(한식당 이름)'에서 회식입니다"라든지, "멀리서 와서 고생이 많은데, 오늘은 제대로 좀 먹어야지? 거, 여기 '금강산(한식당 이름)'이라고 갈비 잘하는 집 있어"라며 자연스럽게 한식을 먹게 되는 것이다. 점심 또한 대부분은 구내식당의 한식을 이용하거나, 가까운 한식집을 찾는다. 아마 대부분의 주재원들은 '제대로 일하려면 역시 한식을 먹어야 한다'라는 인식이 강한 것 같다.

따라서 정말 특별한 경우가 아니고서야 현지 법인에서 제공해 주는 한식을 먹는다. 물론 우리나라 짜장면이 전통 중국 요리라 볼 수 없듯이 타국에서 먹는 한식은 한식이라고 해서 한국의 전통 한식이라고 볼 수 없다. 조달하는 식자재의 한계 때문에 많은 부분의 식자재가 현지에서 조달되고, 현지 주방장이 현지 조미료를 사용해 요리하기 때문이다.

예를 들어, 두바이에서 불고기를 주문할 때 국물 많고 얇은 고기에 각종 채소나 당면이 들어간 서울식 불고기를 예상하면 큰 오산이다. 붉은 양념에 숭덩숭덩 썰린 양파와 당근이 곁들어진 정체 모를 고기가 접시에 담겨 나오는데, 여기서 '불고기'란 말 그대로 불에 구운 고기로 어지간한 양념에 고기를 버무려 차분히 구워 내면 '불고기'라는 칭호를 부여받는다.

인도에서 요리로 떡볶이를 시키면, 고춧가루나 고추장 양념이 아닌, 칠리파우더나 후추 등 현지 향신료로 버무려진 떡을 먹을 수도 있다. 여러 나라에서 한식을 먹게 될 경우 현지식도 아니고 한식도 아닌, 이도 저도 아닌 요리를 먹게 될 가능성이 크다는 얘기다.

해외의 한식당이란, 마치 유명 가수라는 타이틀로

사람들을 현혹시켜 불러 모은 뒤 모창가수를 등장시키는 삼류 밤무대를 보는 것과 같다. 한식이라는 아이덴티티를 앞세우고 있지만, 모양새만 갖춘 음식이라는 인식이 강한 것이다. 그렇다고 그 누구도 이것이 한식이 아니라고 부정하긴 또 힘들다. 비록 조금은 미흡할지라도 한식이라는 말로밖에 설명할 수 없는 비주얼, 게다가 가끔은 의외로 '오. 이건 꽤 색다른 맛인데, 이런 식의 한식도 가능하군' 하는 깨달음을 주는 음식도 있으니, '이건 한식이 아니야'라고 단호히 부정할 수 없는 것이다.

영국의 BBC가 흥미로운 기사를 내보낸 적이 있었다. "케이팝은 한국인의 전유물인가. 케이팝 가수가 되려면 반드시 한국인이어야만 하는가?"라는 기사였는데, 한국인 멤버가 한 명도 없는 케이팝 그룹 '이엑스피 에디션'의 데뷔 과정을 다루고 있었다. 국내에서도 '한국인이 없는데 케이팝 그룹이라는 것이 말이 되는가?'라는 논쟁이 불거졌는데, BBC는 이들이 매일 새벽 여섯 시부터 연습을 시작하고 한국문화를 몸에 익히는 등 눈물겨운 노력을 하고 있다고 보도하며, 케이팝의 개념과 정체성을 되짚어 볼 필요가 있다고 덧붙였다.

음악이라는 것은 외국에서 맞닥트리는 한식과 비슷

하다는 생각이 든다. 즉, 간장으로 양념한 소불고기를 숙성시켜 구워낸 것만 불고기뿐이 아니라, 현지식 양념으로 갓 구워낸 고기도 한식으로 인정할 수밖에 없듯이, 음악도 고유의 정체성 못지않게 수용하려는 태도가 중요하다는 생각이 드는 것이다.

미국 출장 마지막 날, 한인타운에 있는 삼겹살집에 들렀다. '귀국 전날이니 역시 한식이 제격이겠지'라는 현지 직원의 권유로 성사된 식사 자리였다. 옆 테이블을 보니 백인 가정이 삼겹살과 냉면을 시켜 먹고 있었다. 10대 후반으로 보이는 자매의 손에 BTS 화보집이 들려 있었다. 왠지 BTS 팬클럽 '아미'의 일원인 자매가 한식 문화 체험을 위해 멀리서 찾아온 느낌이 들었다. 한국 대중음악의 자긍심을 심어준 BTS에게 감사함을 표하며, 외국인 케이팝 그룹 '이엑스피 에디션'의 성공을 기원한다.

주제가

많은 부부들이 그렇듯 우리 집 또한 가사의 역할이
나누어져 있는데, 나는 대부분의 청소(바닥 청소, 물건
정리, 화장실 청소, 애들 방 청소, 손톱깎이), 빨래(내 옷 한
정), 분리수거 등을 하고, 아내는 설거지 정도를 한다.
내가 맡은 가사일이 더 많은 이유는 퇴근이 늦은 나보
다 아내가 아이들과 보내는 시간이 많기 때문에 육아
스트레스에 대한 고통을 분담하기 위함이다. 내가 하
는 역할 중에 중요한 것 하나는 바로 아이들을 씻기는
일이다.

나는 아이들이 아주 갓난아이 시절부터 샤워를 도
맡아 시켰으므로 발달 시기와 성향에 따른 샤워법을
스스로 터득하게 되었다. 먼저 아이들이 너무 어릴 때
는 샤워하는 걸 굉장히 싫어 한다. 기본적으로 물을
무서워하는 경향이 있는데 샤워기가 물 뿜는 소리를
무서워하거나, 눈에 물이 들어갈까 봐 두렵기 때문이
다. 따라서 이 시기에는 우주선 모양의 샤워캡을 씌워

눈에 물이 들어가는 것을 피해야 한다. 물론 이 샤워 모자를 씌우는 것조차 쉽지는 않다. 따라서 아이들이 흥미를 느낄 수 있도록 스토리텔링 전략이 필요하다. 일명 '우주에서 온 물방울과 마법사의 모자'라던가 '비행접시와 우주인의 눈물' 등 다양한 스토리를 들려주며 머리에 씌우는 형식이다.

머리에 샤워캡을 씌웠다 할지라도 샤워기 물이 뿜어지는 동안 또다시 발버둥을 치며 소리를 지르기 때문에 쉽지 않다. 따라서 바로 또 다른 이야기를 통해 상황을 전환시키거나 주의를 분산시킬 필요가 있다. 꼬마버스 타요의 캐릭터인 '스피드'와 '샤인'의 에피소드를 변형시켜 들려주면서 빠른 속도로 샤워가 끝날 것임을 암시한다든지 하는 이야기를 들려준다.

아이들이 좀 더 자라고 나서는 흥미진진한 장편동화를 들려주고 있다. 바로 '꽁꽁주 공주' 이야기다. 이것은 내가 〈겨울왕국〉을 감명 깊게 보고 모티브를 따와서 만든 연작물로 주요 스토리는 꽁치통조림을 좋아하는 꽁꽁나라의 '꽁(성) 꽁주(이름)'공주가 고양이 친구 세바스찬과 함께 꽁치를 찾아 모험을 떠난다는 내용이다. 얼핏 보면 이야기는 꽁치를 찾아 떠나는 모험이라는 단순한 플롯으로 흐르지만, 종잡을 수 없는 스토리 전개와 주인공을 둘러싼 입체적인 캐릭터들의 등장, 다양한 악당들의 출연은 아이들이 손에 땀을 쥐고 이야기를 듣게 한다. 따라서 아이들은 샤워 시간만 기다리며 이 꽁꽁주 공주 이야기를 들으려고 하지는 않지만, 나는 매번 이야기를 만들며 '이 정도면 J. K. 롤링이나 J. R. R. 톨킨도 울고 가겠군' 하며 만족해하고 있다.

이야기의 프레임은 '꽁치 통조림을 만들기 위해 꽁치를 찾으러 떠난다'라는 큰 주제를 벗어나지 않는다. 하지만 내가 주워들은 다양한 동유럽 동화, 구전 설화, 도시 전설 등을 믹스 앤 매치시켜 수백 가지의 바레이션이 존재하는 엔들리스 이야기로 전개된다. 여기에 내가 직접 작곡한 '더 꽁주' 테마송을 들려주며(오프닝과 엔딩 송 모두 존재한다) 이야기에 한 기대감을 더하는 것이다.

여기서 잠깐! 꽁꽁주 공주 주제가를 기타 반주에 맞춰 불러보자.

G G G   G
꽁주, 꽁주 꽁꽁주 꽁주
C   D   D C   G
그의 친구 세바스찬- 그의 친구 세바스찬-

이 주제가는 요즘 들어서 막내아들 샤워시킬 때 큰
역할을 하고 있는데 창의력의 한계 때문에 이야기가
풀리지 않는 날이면, 샤워가 끝날 때까지 오프닝 주제
가만 늘어지게 부르다가(4절까지 있다) 샤워기를 잠그
고 "다음 이 시간에!"를 외치며 들어가면 되는 것이다.
물론 이런 날 아들은 소리를 지르며 이야기를 더 해달
라고 난리가 난다. 그러고 나면 생각한다. '오늘 하루
도 잘 끝났다….'

영어 가사

　내가 발매한 앨범 중 내가 직접 노래를 부른 곡들의 특징은 바로 모든 곡의 가사가 영어라는 것이다. 내가 영어 가사를 고집한 건 해외 투어와 세계 각지의 음악 팬들을 염두에 두었기 때문이다. 앨범 발매 직후에는 항상 해외 프로모션 일정과 해외 투어 일정이 잡혀 있다. 전 세계 23개국 52개 도시에서 60회의 월드 투어를 진행하고, 마지막으로 서울 올림픽 체조경기장에 입성해 투어의 피날레를 장식하는 일정이다. 공연 후에는 『롤링스톤』과 『뉴요커』, NBC의 인터뷰가 있고 10개의 해외 팬 미팅 일정이 잡혀 있다. '빌보드 핫 100 차트'라는 글로벌 시장 진입을 위해서도 영어는 필수적인 선택이었다. 물론 아쉽지만, 이 말도 거짓말이다.

　BTS는 『타임』과의 회견에서 이렇게 말했다. "우리는 영어 가사 노래를 부름으로써 정체성이나 진정성이 훼손되는 것을 원치 않는다. 설령 그렇게 해서 정상의 자리에 오를 수 있다 하더라도 그것은 우리가 원하는 바가 아니다. 우리가 갑자기 전체 가사가 영어로 된 노래를 부른다면 더 이상 우리는 BTS가 아닐 것이다." 하지만 곧 BTS는 모든 가사를 영어로 작업한 신곡 〈Butter〉을 발표했고, 글로벌 차트 정상에 올라선다. 국내 활동만 하던 걸그룹 모모랜드는 영어로 작업한 디지털 싱글 〈Yummy Yummy Love〉를 내걸고 영미권 시장을 공략하기 시작했다.

사실 내가 영어로 가사를 쓰는 이유는 글로벌 시장 공략보다는 내 감정을 드러내는 것이 쑥스럽기 때문이다. 혁오밴드가 첫 EP 앨범 《20》을 발매한 후 한 인터뷰에서 이런 말을 한 적이 있다. "말하는 것은 한국어가 쉬운데 가사는 영어가 더 쉬워요. 한국어로 쓰면 왠지 발가벗겨진 느낌이 든달까. 더 직접적이어서 그런가 싶고."

나도 어떤 면에서는 이런 생각을 했던 거 같다. 확실히 자신의 감정을 숨기기 위한 방법으로는 외국어를 사용하는 게 제격이라는 생각이 든다. 노랫말을 외국어로 쓰는 것은 감정을 전달하는 게 어설픈 사람이 선택할 수 있는 거의 유일한 방법 같기도 하다. 친구에게 뭔가 잘못했을 때 "미안해"라고 말하는 대신 "쏘리" 하면서 어물쩍거리며 넘어가는 게 더 편하고 쉬운 것과 같은 이치다.

그런데 영어 가사를 쓰면서 여러 가지 난관에 부딪힐 수밖에 없었는데, 바로 내가 영어 회화를 잘 못한다는 것이다. 나는 대학교를 미국에서 나온 유학생 출신이고, 생업을 위해 영어 입시 강의를 했던 사람이다. 그런데도 영어 회화가 형편없다는 것이 큰 약점이었다. 참고로 말하자면, 나는 전통적인 한국식 영어를 구사하는 사람이다. 아이러니하게 들릴 수 있겠지만, 난 미국에서 한국식 영어를 배워 왔다. 놀랍게도 당시 학부 선배들은 영어의 능통함에는 별 관심이 없었다. 워낙 살림살이가 넉넉한 부류의 사람들이라 '영어는 뭐, 어디 가서 식사나 주문할 수 있으면 되는 거 아냐?'라든지, '거, 영어 잘할 필요 없어. 족보가 다 있거든' 하는 정도의 수준으로 영어를 취급했기 때문이다. 심지어 우연히 만난 고등학교 선배는 내 영어 발음을 듣고 이런 말도 했다. "야, 혀에 각 잡아. 버터 먹었냐?"

나는 군 제대 후 오랜 방황 끝에 공부를 시작한 고학생이라(스물다섯에 대학 1학년을 다녔다) 좋은 발음을 연습하기보다 생존을 위한 영어가 간절했다. 영어를 늦은 나이에 시작한 것도 있지만, 학교 수업을 따라가기 위해 필요한 것은 회화가 아니라 작문 실력이었기 때문이다. 매주 진행되는 퀴즈와 수많은 페이퍼

들을 처리하기 위해서 내 할 수 있는 것은 외국인 친구들과 어울려 회화를 하는 것이 아니라, 네이버 사전을 켜놓고 MS-Word와 씨름하는 것이었다. 이렇게 대부분의 시간을 혼자 학교 공부하는 데 사용해 왔으니 영어 회화가 좀처럼 늘지 않았던 것이다. 하지만, 몰랐다. 훗날 이것이 음악 활동을 하는 데 큰 방해가 되리라는 것을.

내가 야심 차게 준비하고 있는 앨범 있다. 역시 글로벌 시장을 노리고 영어로 쓴 가사의 곡이다. (사실, 이것도 우리말로 부르는 게 쑥스러워 영어로 가사를 만들었다.) 토종 한국인의 영어 실력이 그렇듯 나 또한 문법에는 자신 있었다. 노랫말을 만든 후 '음, 뭐 이 정도면 글로벌 시장에 내놔도 손색이 없겠어' 하고 흡족해하고 있었는데, 혹시 모를 실수가 있을까 봐 원어민에게 가사 교정을 받았다. 교정 결과는 처참했다. 원어민은 마치 빨간펜 선생님처럼 아주 자세하고도 꼼꼼하게 문장을 검토하고, 단어의 쓰임과 문장의 표현을 가차 없이 지적했다.

예컨대 이런 식이었다. "~라는 표현은 일상적인 느낌을 가지고 있어서 조금 더 정중하고 멋지게 말을 하고 싶다면 ~라고 표현해주세요", "문법적으로 틀린 표현은 아니지만 ~라는 표현이 상황에 맞습니다." 무슨 말인가 들여다본즉, 내가 쓴 표현이 '나의 사랑은 이제 끝장났어'라는 식의 문장이라면, 실제적인 표현은 '내 사랑은 이제 가버렸어'라는 식이다. 이렇게 하나하나 지적을 당하니 내가 쓴 가사의 80퍼센트가 수정되었다. 나는 이날을 기점으로 이런 생각을 하게 됐다. '음, 이제 아름다운 운율을 가진 한국어로 가사로 써야겠군.'

잠잠해진 그대의 비트를 뛰게 하라

영화 〈비긴 어게인〉에 보면, 뉴욕의 어느 작은 바에서 주인공 크레타가 노래하는 장면이 나온다. 무명 아티스트인 크레타는 친구에 의해 억지로 무대에 오르게 되고, 마지못해 기타를 잡고 자신이 만든 노래를 부른다. 그녀는 아직 미완성인 노래 〈A Step You Can't Take Back〉을 간단히 소개하고, 조용히 기타를 연주하며 노래를 시작한다. 자신의 모든 감정을 다 해서 말이다. 하지만 바에 있는 그 누구도 그녀의 노래를 경청하지 않는다. 처음에는 박수를 치며 호응해 주던 손님들도 시간이 좀 흐르자 그녀의 노래를 외면한다. 술잔을 기울이며 서로 이야기를 나눌 뿐이었고, 크레타의 노래가 끝나자 형식적인 작은 박수만 보냈다.

하지만 모든 사람의 무관심 속에서도 그녀의 노래를 경청하는 단 한 사람이 있었다. 우연히 바에서 술을 마시던 댄이었다. 한때는 유명했으나 지금은 한물

간 프로듀서인 댄은 현재 자신이 처한 상황을 위로해 주는 그녀의 노랫소리에 큰 감명을 받는다. 이렇게 댄은 크레타에게 앨범 제작을 제안하고 둘의 삶은 크게 변하게 된다.

나는 4년간 음악 활동을 하면서 19개의 앨범을 발매했고, 50곡 정도를 작곡했다. 하지만 아직도 세간에 알려지지 않는 무명 아티스트이자 인디 뮤지션이다. 그럼에도 포기하지 않고 계속 음악을 만든다. 아무도 알아주지 않아도, 마치 프로듀서 댄이 그랬듯이, 내 음악을 듣고 위로받는 한 사람이 있을지 모른다는 희망이 있기 때문이다.

사실 음악을 하면서 가장 큰 위로와 치유를 받은 건 나 자신이 아닌가 싶다. 더 좋은 음악을 만들려는 노력은 밥벌이에 피폐해졌던 감성을 되살렸고, 한낮 뙤약볕에 있던 내 삶을 짙은 녹음과 출렁이는 물가로 인도했다. 유년 시절 꿈꾸었던 세계적인 록스타가 되지는 못했지만, 내가 전하고자 하는 메시지를 음악으로 표현할 수 있는 뮤지션이 된 것에, 그리고 그런 시도를 해오고 있다는 것은 내 삶에 큰 의미이자 활력이 되었다.

"난 이래서 음악이 좋아. 지극히 따분한 일상의 순간까지도 의미를 갖게 되잖아. 이런 평범함도 어느 순간 갑자기 진주처럼 아름답게 빛나지. 그게 바로 음악이야."〈비긴 어게인〉에서 댄이 크레타와 함께 음악을 들으며 한 말이다.

폴 매카트니가 노래했듯이 인생이란 '길고 구불구불한 길'이지만, 음악이 함께한다면 그 삶은 의미를 갖고 빛날 수 있다고 생각한다. 아무쪼록 평범한 중년의 음악을 향한 열정과 도전이 독자들에게 작은 위안이 되기를 희망한다.